MORRA SEM NADA

MORRA SEM NADA

APROVEITE AO MÁXIMO SUA VIDA E SEU DINHEIRO

BILL PERKINS

Tradução:
Antenor Savoldi Jr.

Copyright © William O. Perkins III, 2020
Copyright dos gráficos © Charles Denniston, 2020
Copyright da tradução © Editora Intrínseca Ltda, 2024
Publicado mediante acordo com Mariners Books, um selo HarperCollins Publishers.
Todos os direitos reservados.

TÍTULO ORIGINAL
Die With Zero: Getting All You Can From Your Money and Your Life

PREPARAÇÃO
Leandro Kovacs

REVISÃO
Ana Grillo
Isabella Pacheco
Ilana Goldfeld

PROJETO GRÁFICO ORIGINAL
Chrissy Kurpeski

DIAGRAMAÇÃO
Tanara Vieira

DESIGN DE CAPA
Alex Camlin

CIP-BRASIL. CATALOGAÇÃO NA PUBLICAÇÃO
SINDICATO NACIONAL DOS EDITORES DE LIVROS, RJ

P526m

    Perkins, Bill, 1969-
    Morra sem nada : aproveite ao máximo sua vida e seu dinheiro / Bill Perkins ; tradução Antenor Savoldi Jr. - 1. ed. - Rio de Janeiro : Intrínseca, 2024.
    206 p. ; 21 cm.

    Tradução de: Die with zero
    ISBN 978-85-510-1062-4

    1. Finanças pessoais - Aspectos psicológicos. 2. Aposentadoria - Planejamento. 3. Autorrealização. 4. Conduta. 5. Felicidade. I. Savoldi Jr., Antenor. II. Título.

24-87997   CDD: 332.024
                             CDU: 330.567.22

Meri Gleice Rodrigues de Souza - Bibliotecária - CRB-7/6439

[2024]
Todos os direitos desta edição reservados à
EDITORA INTRÍNSECA LTDA.
Av. das Américas, 500, bloco 12, sala 303
22640-904 – Barra da Tijuca
Rio de Janeiro – RJ
Tel./Fax: (21) 3206-7400
www.intrinseca.com.br

Para Skye e Brisa,
Que a vida de vocês seja a mais plena possível,
cheia de aventura e amor

Sumário

Nota do autor *9*

1. Otimize sua vida *11*
2. Invista em experiências *27*
3. Por que morrer sem nada? *43*
4. Como gastar seu dinheiro (sem chegar de fato a zero antes de morrer) *63*
5. E quanto aos filhos? *77*
6. Equilibre sua vida *101*
7. Comece a organizar o tempo em sua vida *129*
8. Saiba reconhecer seu ápice *141*
9. Seja ousado, mas não tolo *167*

Conclusão: uma tarefa impossível, uma meta que vale a pena *179*

Agradecimentos *181*

Notas *185*

Créditos das imagens *195*

Índice remissivo *197*

Nota do autor

Talvez você já tenha ouvido a clássica fábula de Esopo sobre a formiga e a cigarra: a dedicada formiga trabalhou durante todo o verão armazenando comida para o inverno, enquanto a despreocupada cigarra se distraiu e brincou. Assim, quando chegou o inverno, a formiga conseguiu sobreviver, enquanto a cigarra ficou em apuros. A moral da fábula? Há momentos para trabalhar e momentos para brincar.

Grande lição. *Mas quando é que a formiga pode brincar?*

Eis o tema deste livro. Sabemos o que acontece com a cigarra — ela morre de fome —, mas qual é o destino da formiga? Isto é, se a formiga passa sua curta vida trabalhando sem parar, quando é que ela consegue se divertir? Todos nós temos que sobreviver, mas todos queremos fazer muito mais do que isso: queremos *viver de verdade*.

É nisto que me concentro neste livro: não apenas em sobreviver, mas em prosperar. Este livro *não é* sobre fazer seu dinheiro crescer: é sobre como aproveitar melhor sua *vida*.

Venho pensando nessas ideias há anos, discutindo-as com amigos e colegas, e agora quero trazê-las para você. Não tenho todas as respostas, mas tenho algo que sei que vai tornar sua vida mais rica.

Não sou planejador financeiro profissional nem consultor de investimentos familiares. Sou apenas alguém que quer viver a vida ao máximo, e desejo o mesmo para você.

Acredito que todo mundo quer viver esse tipo de vida — mas, sendo realista, nem todos conseguem alcançá-la. E já adianto: se você está tendo dificuldades para dar conta do mínimo, ainda assim poderá extrair algo deste livro, mas não tanto quanto alguém com dinheiro, saúde e tempo livre suficiente para fazer escolhas visando aproveitar ao máximo esses recursos.

Então, boa leitura. Espero ao menos ser capaz de fazer você refletir e repensar alguns de seus pressupostos básicos a respeito da vida.

Bill Perkins
Verão de 2019

1

OTIMIZE SUA VIDA

Regra número 1:

Maximize suas experiências positivas

Em outubro de 2008, Erin e seu marido, John, advogados de sucesso em Iowa com três filhos pequenos, receberam a notícia de que John tinha sarcoma de células claras, um câncer raro e de crescimento acelerado dos tecidos moles do corpo. "Ninguém pensava que um homem saudável de 35 anos teria um tumor do tamanho de uma bola de beisebol", relembra Erin. Portanto, ninguém suspeitou de câncer até que o tumor se espalhou para as costas e os ossos da perna de John. "Não entendíamos a gravidade da situação, até que ele fez um raio X e o corpo dele brilhou feito uma árvore de Natal", diz Erin, que ficou atônita e aterrorizada com o diagnóstico. John estava doente demais para trabalhar, então todo o fardo físico e financeiro de cuidar da família recaiu sobre ela. Era muita coisa para uma única pessoa suportar.

Eu era amigo de Erin desde a infância, e queria fazer tudo ao meu alcance para tornar sua situação menos terrível. "Pare com tudo, Erin", eu disse a ela. "Passe esse tempo com a sua família enquanto John ainda pode." Também me ofereci para ajudar com os custos.

Mas meu palpite se mostrou óbvio e atrasado: Erin já estava pensando em largar o emprego para se concentrar no que importava de verdade. E foi o que ela fez. Então, entre as sessões de tratamento de John, o casal aproveitava os simples prazeres da companhia um do outro: iam ao parque, assistiam a filmes, jogavam videogame e buscavam juntos os filhos na escola.

Em novembro, quando os médicos da região haviam feito tudo o que podiam, sem sucesso, Erin ouviu falar de um ensaio clínico em Boston. Ela e John fizeram várias viagens para se submeter ao tratamento experimental e, durante o tempo livre, aproveitaram para fazer alguns dos passeios históricos pela cidade, enquanto John ainda podia andar. Em pouco tempo, porém, a esperança foi desaparecendo, e um dia John desabou ao pensar em tudo o que perderia, desde ver seus filhos crescerem até passar os anos com Erin.

John morreu em janeiro de 2009, apenas três meses após o diagnóstico. Ao recordar aquele período, Erin lembra do trauma e da devastação, mas se sente feliz por ter deixado o emprego para ficar em casa com John.

A maioria das pessoas teria feito o mesmo nessas circunstâncias. A possibilidade da morte faz as pessoas acordarem e, quanto mais perto ela chega, mais despertos e conscientes nos tornamos. Quando o fim está próximo, de repente começamos a pensar: *O que estou fazendo? Por que esperei tanto?* Mas, até então, a maioria de nós passa pela vida como se tivesse todo o tempo do mundo.

Parte desse comportamento é racional. Seria tolice viver cada dia como se fosse o último: você não faria questão de trabalhar, estudar para uma prova ou ir ao dentista. Portanto, faz sentido adiar a gratificação até certo ponto, porque isso compensa a longo prazo. Mas a triste verdade é que muitas pessoas adiam a gratificação por muito tempo, ou mesmo indefinidamente. Elas adiam o que querem fazer até que seja tarde demais, economizando dinheiro para experiências de que nunca desfrutarão. Viver como se a vida fosse infinita é o oposto de ter uma visão de longo prazo: é uma atitude terrivelmente míope.

É claro que a história de Erin e John é um caso extremo. O sarcoma de células claras avançado é raro, e a morte se aproximou desse casal de forma muito mais intensa do que da maioria das pessoas. No entanto, o desafio que a situação deles representou é comum a todos: a saúde de todo mundo geralmente piora com o tempo e, mais cedo ou mais tarde, todos morreremos; portanto, a pergunta que não quer calar é: como podemos aproveitar ao máximo nosso tempo finito aqui na Terra?

Falando assim parece uma questão filosófica elevada, não é? Mas não é assim que eu vejo. Sou engenheiro e construí todo o meu patrimônio usando minhas habilidades analíticas; desse modo, para mim a questão é um problema de otimização: como maximizar a satisfação e minimizar o desperdício.

Um problema de todos

Todos enfrentamos alguma versão dessa questão. É claro que os valores em dinheiro diferem de pessoa para pessoa, muitas vezes de forma drástica, mas a questão central é a mesma para todos: qual é a melhor maneira de despender nossa energia vital antes de morrermos?

Tenho pensado nisso por muitos anos, desde quando mal ganhava o suficiente para viver e, com o tempo, desenvolvi vários princípios orientadores que fazem sentido para mim. Eles são as ideias por trás deste livro. Por exemplo, algumas experiências podem ser aproveitadas apenas em determinados momentos: a maioria das pessoas não pode praticar esqui aquático aos 90 anos. Outro princípio: embora todos nós tenhamos pelo menos o potencial de ganhar mais dinheiro no futuro, nunca podemos voltar e recuperar o tempo que já se foi. Portanto, não faz sentido deixar passar oportunidades por medo de desperdiçar dinheiro. Desperdiçar nossas vidas deveria ser uma preocupação muito maior.

Acredito muito nessas ideias e as defendo sempre que tenho a chance. Seja uma jovem de 25 anos com medo de ir atrás da carreira dos seus sonhos e que, em vez disso, decide se contentar com um emprego seguro, mas deprimente; ou um multimilionário de 60 anos que continua trabalhando horas a mais para economizar mais dinheiro para a aposentadoria, em vez de aproveitar a grande riqueza que já acumulou, odeio ver as pessoas desperdiçando seus recursos e adiando viver a vida de forma plena — e digo isso a elas. Tanto quanto posso, também pratico o que prego. É verdade que às vezes pareço um treinador de futebol à beira do campo, incapaz de seguir meus próprios conselhos. Mas sempre que me flagro assim, busco me corrigir, e você conhecerá algumas dessas histórias mais adiante neste livro. Ninguém é perfeito, mas faço o possível para seguir o que falo.

Somos todos iguais, somos todos diferentes

Há muitas formas de viver a vida ao máximo. Por exemplo, adoro viajar e adoro pôquer, então faço muitas viagens, algumas delas para jogar em torneios de pôquer. Isso significa que, todos os anos, gasto uma grande parte das minhas economias com viagens e pôquer. Mas não me interpretem mal: não defendo que todos gastem suas economias com viagens, muito menos com pôquer. O que defendo, sim, é decidir o que faz você feliz e depois direcionar seu dinheiro para realizar as experiências de seu agrado.

Naturalmente, essas experiências agradáveis variam de acordo com a pessoa. Algumas pessoas são ativas e aventureiras, outras preferem ficar perto de casa. Algumas têm grande satisfação em esbanjar consigo mesmas e com a família e os amigos, enquanto outras preferem gastar seu tempo e dinheiro com os menos afortunados em nossa sociedade. Podemos, é claro, desfrutar de um mix dessas experiências. Por mais que adore viajar, também gosto de gastar meu tempo e dinheiro promovendo causas que me interessam, desde protestar contra o resgate dos grandes bancos até buscar ajuda humanitária para as pessoas em situação vulnerável nas Ilhas Virgens Americanas. Portanto, é claro que não estou tentando dizer que um conjunto de experiências é melhor que outro, mas sim que devemos escolher nossas experiências de forma deliberada e com propósito, em vez de viver a vida no piloto automático, como é o caso de muita gente.

Também sei, é claro, que as coisas são mais complicadas do que simplesmente saber o que nos faz felizes e gastar nosso dinheiro nessas experiências sem restrições. Nossa capacidade de desfrutar de diferentes tipos de experiências muda ao longo da vida. Pense nisto: seus pais o levaram para a Itália quando você era criança, mas quanto dessas férias caras você levou consigo, além de, quem sabe, um amor vitalício por *gelato*? Consideremos o outro extremo: quanto você acha que vai gostar de subir as escadarias da Piazza di Spagna em Roma quando estiver na casa dos 90 anos (supondo que ainda esteja vivo e capaz de realizar tal feito)? Como disse o título[1] de uma matéria em um jornal de economia: "De que adianta riqueza sem saúde?"

Em outras palavras, para aproveitar ao máximo seu tempo e dinheiro, avaliar o momento é importante. Para aumentar a realização da vida como um todo, é importante que vivamos cada experiência na idade certa. E isso se aplica a todos, independentemente de gostos pessoais e quantidade de riqueza. Embora a magnitude da realização pessoal de cada um seja diferente — por exemplo, pessoas com relativamente pouco dinheiro extra para gastar tendem a ter níveis de realização mais baixos, enquanto as naturalmente felizes tendem a ter níveis de realização mais altos —, todos nós precisamos encontrar o momento adequado para nossas experiências. Maximizar sua realização a partir de experiências — planejando como gastará seu tempo e dinheiro para alcançar os níveis mais altos possíveis de satisfação com os recursos de que dispõe — é a forma de maximizar a vida. Ao assumir o controle dessas decisões cruciais, você assume as rédeas da sua trajetória.

O bilionário honorário

Alguns amigos me chamam de "bilionário honorário", que significa exatamente o que você está pensando: não sou bilionário de verdade, mas gasto como se fosse.

No entanto, a realidade é que a maioria dos bilionários não vai gastar suas fortunas durante a vida. Há um limite para o quanto uma pessoa consegue gastar consigo mesma, mesmo tendo os gostos mais luxuosos, então os ultrarricos tendem a doar muito dinheiro. Mesmo assim, coletivamente, as duas mil famílias mais ricas dos Estados Unidos (a maior parte delas já com membros de idade avançada) doam apenas 1% de sua riqueza total por ano, uma taxa incapaz de esgotar seus vastos recursos antes de morrer.[2] E não estou falando apenas dos ultrarricos do tipo mais pão-duro. As famílias mais ricas também incluem os filantropos mais generosos da atualidade — pessoas como Bill Gates, Warren Buffett e Michael Bloomberg, todos os quais prometeram doar suas fortunas. Só que mesmo esses doadores extraordinários têm dificuldade em gastar seus bilhões com rapidez suficiente, e em parte isso ocorre porque eles acumularam tanta riqueza que seu montante cresce mais rapidamente do que é possível doar de maneira ponderada e responsável. Gates, por exemplo, viu sua fortuna quase dobrar desde 2010 — mesmo enquanto se dedicava a combater doenças e a pobreza. Embora eu odeie implicar com alguém que promove tanto impacto positivo no mundo, fico me perguntando quanto mais seria possível realizar com a imensa fortuna de Gates se ele conseguisse fazer uso dela hoje mesmo.

Diferentemente de muitas pessoas, Gates ao menos teve a sabedoria de parar de trabalhar por dinheiro quando ainda era jovem o suficiente para começar a gastá-lo em grande estilo. E até mesmo ele deveria ter se aposentado do trabalho remunerado mais cedo, bem antes de acumular várias vezes o que poderia gastar em uma vida. A vida não é um jogo de *Space Invaders* — não ganhamos pontos por todo o dinheiro que acumulamos no jogo —, mas muitas pessoas a tratam como se fosse. Elas seguem acumulando mais e mais e mais sem pensar tanto em maximizar o que obtêm dessa riqueza — incluindo o que podem dar a seus filhos, amigos e à sociedade em geral no presente, em vez de esperar até a sua morte.

Uma conversa capaz de mudar a vida

A verdade é que eu nem sempre pensei dessa forma, e com certeza não pensava assim quando estava no meu primeiro emprego depois da faculdade. Na Universidade de Iowa, joguei futebol e me formei em engenharia elétrica. Embora adorasse engenharia e já tivesse essa mentalidade de otimização, quando os recrutadores da área chegaram ao campus, simplesmente soube que não conseguiria seguir aquela carreira típica de engenharia. Trabalhando para uma empresa como a IBM, por exemplo, eu passaria anos em uma subseção de uma subseção de um chip para ter uma chance real de projetar algo. Não parecia emocionante. O cronograma rígido da graduação — com apenas algumas semanas de férias por ano — atrapalharia todas as outras coisas que eu queria fazer. Sem dúvida, eu era jovem e tinha ilusões de grandeza. Mas também tinha certeza de que havia algo muito melhor para mim fora daquilo.

O filme *Wall Street: poder e cobiça* foi lançado quando eu estava na faculdade. Hoje, a maioria das pessoas ri do roteiro: ridicularizamos Gordon Gekko, o personagem de cabelo lambido interpretado por Michael Douglas, que nos disse que "a ganância, na falta de uma palavra melhor, é algo bom". Todos nós sabemos para onde esse tipo de capitalismo desenfreado levou os Estados Unidos. Mas, na época, o estilo de vida rico e despreocupado que o filme retratava me atraía de verdade. Senti que o setor financeiro me daria o tipo de liberdade que eu queria.

Então, aceitei um emprego no pregão da Bolsa Mercantil de Nova York. Meu título era "atendente", ou seja, eu era assistente do assistente, e fazia coisas como contrabandear sanduíches para meus chefes que estavam lá no chão do pregão. Seria o equivalente da indústria financeira a trabalhar numa sala de correspondência em Hollywood.

Meu salário inicial naquele emprego começou em 16 mil dólares por ano — o que não era exatamente o suficiente para viver na cidade de Nova York, mesmo no início dos anos 1990 —, então voltei para a casa da minha mãe em Orange, Nova Jersey. Depois de ter sido promovido a "atendente chefe" e ter um aumento de dois mil dólares anuais, pude me mudar para o Upper West Side de Manhattan para dividir um apartamento. Meu colega de quarto e eu construímos uma parede improvisada que me deu um pseudoquarto do tamanho de um forno de pizza. Naquela época, eu tinha tão pouco dinheiro que, se não comprasse um passe mensal de metrô, não conseguiria trabalhar, já que a tarifa da passagem diária ficava acima do orçamento. Quando levava uma garota ao cinema, suava frio se ela pedisse uma pipoca. De verdade.

Então comecei a dirigir a limusine do meu chefe à noite para ganhar um dinheiro extra e me tornei um cara supereconômico, tentando guardar o máximo que pudesse. O único sujeito mais pão-duro do que eu era meu amigo Tony, que surrupiava os grãos não estourados das tigelas de pipoca para reutilizá-los (depois de deixá-los na geladeira por um tempo, para recuperarem a umidade).

Eu estava orgulhoso do meu estilo econômico espartano, muito satisfeito comigo mesmo por conseguir economizar dinheiro mesmo com uma renda tão baixa. Então, um dia, eu estava conversando com meu chefe, Joe Farrell, sócio da empresa para a qual eu trabalhava, e de alguma forma começamos a falar sobre as minhas economias. Eu disse a ele quanto havia economizado — acho que eram cerca de mil dólares na época — pensando que ele ficaria admirado com minhas habilidades de gerenciamento de dinheiro. Rapaz, eu estava errado! Esta foi sua chocante resposta:

"Você é idiota? Para que economizar esse dinheiro?"

Foi como um tapa na cara. Ele continuou. "Você veio aqui para ganhar *milhões*", disse ele. "Sua capacidade de ganhar mais vai aparecer. Ou você acha que vai ficar ganhando 18 mil por ano pelo resto da vida?"

Ele estava certo. Eu não havia aceitado um emprego em Wall Street para ganhar tão pouco e era quase certo que ganharia mais nos próximos anos. Então, por que guardar aquela porcentagem aleatória da minha modesta renda para o futuro? Eu deveria aproveitar meus míseros mil dólares imediatamente!

Foi um momento de virada na minha vida — a conversa abriu minha cabeça para novas ideias sobre como equilibrar ganhos e gastos. Eu não sabia na época, mas o que Joe Farrell estava falando é, na verdade, uma ideia bastante antiga em finanças e contabilidade, chamada *suavização do consumo*. Nossas receitas podem variar de um mês ou de um ano para outro, mas isso não significa que nossos gastos devam refletir essas variações; seria melhor se nivelássemos essas variações. Para tanto, precisamos basicamente transferir dinheiro dos momentos de abundância para os de escassez. Essa é uma das utilidades de uma conta poupança. Só que, naquele momento, eu estava usando minha conta poupança totalmente ao contrário: estava tirando dinheiro do meu eu jovem faminto para guardar para meu futuro eu mais rico! Não foi à toa que Joe me chamou de idiota.

Lendo isso hoje, você pode estar dizendo: Ok, a suavização do consumo faz sentido na teoria, mas como você poderia realmente ter certeza de que seria muito mais rico no futuro? Nem todo assistente se torna um trader de sucesso, assim como nem todo garoto em uma sala de correspondência de Hollywood se torna um magnata dos estúdios. É uma pergunta justa, e sou o primeiro a admitir que muitas coisas precisaram dar certo para que eu chegasse onde estou hoje. É claro que eu não poderia prever a magnitude da minha renda futura. Mas uma coisa é certa: eu estava correto em confiar na direção dos meus ganhos. Eu não sabia que ganharia milhões, mas com certeza sabia que ganharia mais que 18 mil dólares por ano. Na verdade, eu poderia ganhar mais até se tivesse virado garçom.

Seu dinheiro ou sua vida

Mais ou menos nessa época, eu me deparei com um livro importante e influente: *Seu dinheiro ou sua vida*, de Vicki Robins e Joe Dominguez. Aquele livro, que reli várias vezes desde então — e que hoje, cerca de 25 anos depois, é popular entre uma nova geração de leitores, muitos dos quais fazem parte do movimento FIRE (sigla do inglês para "independência financeira, aposentadoria cedo") — transformou por completo minha compreensão sobre o valor do meu tempo e da minha vida: percebi que estava perdendo horas valiosas.

Como? O livro afirmava que nosso dinheiro representa energia vital. A *energia vital* corresponde a todas as horas que estamos vivos para realizar coisas — e sempre que trabalhamos, estamos gastando um pouco dessa energia vital finita. Portanto, qualquer quantia de dinheiro que tenhamos ganhado com nosso trabalho representa a quantidade de energia vital que gastamos para ganhá-lo. Essa verdade se mantém, não importando quanto ou quão pouco nosso trabalho pague. Portanto, mesmo que ganhemos X por hora, gastar esse X também significa gastarmos o equivalente a uma hora de nossa energia vital. Essa ideia simples teve um grande impacto em mim, batendo com muito mais força do que o velho clichê de que tempo é dinheiro. Comecei a pensar: *estou dando minha energia vital e recebendo papel em troca!* Foi como aquela cena final de *Matrix*, em que Neo anda por aí vendo o mundo como ele é. Me lembro de ficar exatamente assim depois de ler o livro: comecei a calcular as horas necessárias para comprar cada coisa. Eu via uma camisa bonita, fazia as contas mentais e pensava: *"Não, você não* pode me fazer trabalhar duas horas só para comprar essa camisa!"

Várias outras ideias desse livro seguem comigo, mas vou compartilhar apenas a mais relevante para as páginas que você está lendo agora: um salário mais alto nem sempre significa mais renda real por hora. Por exemplo, uma pessoa que ganha 40 mil dólares por ano pode, na verdade, ganhar mais por hora do que alguém que ganha 70 mil dólares por ano. Como isso é possível? Mais uma vez, tudo é questão de energia vital. Se o trabalho de 70 mil demanda mais em termos de energia vital — o tempo gasto em uma longa viagem até o local de trabalho, o custo dos tipos de roupas que você precisa para se apresentar lá e, claro, as horas extras que você precisa consumir no trabalho em si —, então a pessoa que ganha o salário mais alto geralmente sai mais pobre no final. Essa pessoa que supostamente ganha mais também tem menos tempo para aproveitar o dinheiro que está ganhando. Portanto, comparando funções, é realmente importante levar em consideração esses custos ocultos, embora essenciais.

No meu caso, consigo resumir tudo à lógica dos biscoitos. Para manter a cartilagem dos joelhos e por preocupação com a saúde de um modo geral, gosto de manter um certo peso na balança, então, quando olho para um biscoito, faço a conversão dele em tempo gasto na esteira. Às vezes, quando vejo um biscoito que parece bom, dou uma mordida para ver o sabor e me pergunto: *Comer esse biscoito vale uma hora a mais de caminhada na esteira?* A resposta nem sempre é não (embora geralmente seja), mas, de qualquer forma, nunca é uma decisão impensada. Esses tipos de cálculos — seja com dinheiro e tempo, ou comida e exercícios — nos ajudam a fazer escolhas mais ponderadas, o que certamente resulta em opções melhores do que se agíssemos por impulso ou por hábito.

Não estou dizendo que todo trabalho — ou todos os treinos — são perda de tempo. É provável que você goste de certos aspectos do seu trabalho e, na verdade, pode até ficar feliz em fazer algumas partes dele mesmo que não estivesse sendo pago. Mas essa é a menor parte do trabalho da maioria das pessoas: se não tivéssemos que trabalhar para ganhar dinheiro, a maioria de nós encontraria formas mais agradáveis de usar o tempo.

Nos Estados Unidos, mais especificamente, estamos imersos em uma ética de trabalho antiquada, mas em muitas outras culturas as pessoas entendem que viver é muito mais do que trabalhar. Dá para ter uma noção disso pela quantidade de férias remuneradas que as pessoas tiram em muitos países europeus — seis semanas por ano, ou mais, em lugares como França e Alemanha! Na ilha de St. Barths, um dos meus lugares favoritos no planeta, o comércio todo fecha por duas horas no meio do dia para que todo mundo possa sair com os amigos e desfrutar de um bom e demorado almoço. Um equilíbrio entre vida profissional e pessoal muito melhor do que a maioria de nós está acostumada.

Sua vida é a soma de suas experiências

E isso também tem muito a ver com a ideia de *Seu dinheiro ou sua vida*. Acima de tudo, os autores nos incentivam a não sacrificar nossas vidas por dinheiro. Sua mensagem é: não se tornem escravos de empregos e posses. Mas como eles sugerem que alcancemos essa liberdade financeira? Através da frugalidade, ou seja, escolher viver com simplicidade para não *precisar* de muito dinheiro. Só que, para mim, essa *não foi* uma das grandes conclusões tiradas do livro, e também não é o que estou sugerindo que você faça.

Particularmente, acredito muito no valor das experiências. Muitas delas são gratuitas, outras são coisas que não precisam custar tão caro, mas, sim, é verdade que as mais relevantes em geral custam algum dinheiro. Uma viagem inesquecível, ingressos para shows, realizar um empreendimento sonhado ou começar um novo hobby, tudo isso custa dinheiro e, às vezes, *muito* dinheiro. E, para mim, todo dinheiro investido em experiências é um dinheiro que vale a pena gastar. Muitos estudos mostraram que gastar dinheiro em experiências nos deixa mais felizes do que gastar dinheiro em *coisas*. Ao contrário das posses materiais, que parecem emocionantes no início, mas em geral se depreciam rapidamente, as experiências ganham mais valor com o tempo: elas pagam o que chamo de *dividendo de lembranças*, algo sobre o qual falarei muito mais no próximo capítulo. Viver com pouco, quando você tem condições de gastar mais, limita sua vida dessas experiências e torna seu mundo menor do que precisa ser.

Se a vida é, então, a soma de nossas experiências, como podemos maximizar o valor das experiências para tirar o maior proveito dela? Ou, como coloquei no início deste capítulo: qual é a melhor maneira de gastar sua energia vital antes de morrer?

Este livro é a minha resposta a essa pergunta.

Por que este livro?

Inicialmente, este livro seria um aplicativo. Eu sabia que deveria haver uma maneira ideal para gastar a energia vital, e que a maioria das pessoas estava fazendo isso de um jeito abaixo do ideal. Parte do motivo é a complexidade da matemática: como humanos, temos dificuldades em processar grandes quantidades de dados envolvendo múltiplas variáveis e, quando ficamos sobrecarregados, entramos no piloto automático, produzindo um resultado bem abaixo do ideal. Como os computadores são muito melhores nessa tarefa, pensei em criar um aplicativo que ajudasse as pessoas a otimizar suas vidas ou, pelo menos, a fazer essa matemática da forma mais parecida possível com a de um computador.

Alguns anos atrás, comecei a me consultar com um médico chamado Chris Renna. O dr. Renna é um desses especialistas que basicamente tentam fazer com que a gente viva para sempre, e sua clínica em Los Angeles, a LifeSpan, faz testes supercompletos para detectar problemas precocemente. Quanto mais cedo detectamos problemas médicos, maiores serão nossas chances não apenas de evitar problemas, mas também de ter uma vida mais saudável. Por exemplo, se alguma coisa em você está desregulada e você age de modo a não potencializar isso, vai ter uma qualidade de vida melhor. Desse modo, o dr. Renna estava me fazendo todos os tipos de perguntas para detectar esses pontos de atenção clínica com antecedência. Perguntas como "Você dorme no mínimo sete horas por noite?" "Como está sua vida sexual?" "Você tem algum problema para fazer xixi?" Todas as perguntas possíveis. E então, como parte da avaliação psicológica, ele fez uma pergunta sobre estresse financeiro: "Você tem medo de ficar sem dinheiro?"

Eu respondi: "Eu *espero* ficar sem dinheiro!"

Ele me olhou com perplexidade, então expliquei sobre o meu desejo de ter uma vida cheia de experiências, sobre como não vou poder usar meu dinheiro quando estiver morto ou velho demais e que, por isso, eu deveria tentar morrer sem nada.

Ele me disse que era a primeira vez que alguém respondia algo assim. Mesmo que seus pacientes fossem pessoas relativamente ricas, muitas ainda tinham medo de ficar sem dinheiro. Eu disse ao dr. Renna que estava trabalhando em um aplicativo para ajudar as pessoas com esse problema, e ele respondeu: "Não, Bill, você precisa escrever um livro. Você precisa colocar a boca no trombone e contar a coisa toda, explicar todos os seus conceitos, e não ficar restrito aos usuários de um aplicativo. E você tem que começar agora." Ele até me apresentou a alguns *ghostwriters*!

Mas o livro que você está lendo agora não é exatamente o livro que o dr. Renna tinha em mente. Só que o que mais entusiasmava a ele — a novidade de explicar por que as pessoas deveriam morrer zeradas — também era o que afastava muita gente. Obviamente, pessoas ricas não são as únicas com medo de ficar sem dinheiro: esse medo foi descrito várias vezes por muitas pessoas que escutaram minhas ideias. E é por isso que abordarei esse tópico várias vezes ao longo do livro. Afinal, ninguém jamais vai tentar morrer sem nada se tiver medo de ficar zerado *antes* de morrer.

Porém, quero deixar claro que nem todos os medos financeiros são iguais. Os medos das pessoas com muitos recursos, por exemplo, são irracionais. Se elas se planejarem direito, não precisarão se preocupar com a ideia de ficar sem dinheiro de forma alguma. E é para essas pessoas que escrevi este livro — pessoas que estão economizando demais, comprometendo sua qualidade de vida. Mas para milhões de norte-americanos e outros bilhões de pessoas em todo o planeta, o medo de ficar sem dinheiro é mais do que apenas um medo. As pessoas menos favorecidas, infelizmente, estão nesse barco: se você tem pouca ou nenhuma renda de sobra, então, por definição, você tem muito pouca escolha em como gastar seu dinheiro e, portanto, faz todo o sentido que se concentre em sobreviver. Pessoas com uma renda muito baixa simplesmente não podem se dar ao luxo de tentar encontrar o equilíbrio ideal entre trabalho e diversão, ou entre gastar agora e investir no futuro. Dentro das restrições de suas circunstâncias difíceis, provavelmente já estão fazendo tudo o que podem para tirar o máximo proveito de seu pouco dinheiro e de sua vida.

O medo de ficar sem dinheiro também faz sentido para quem gasta de forma irresponsável: essas pessoas de fato *estão* gastando demais muito cedo e, portanto, *devem* mesmo ter medo! Meu objetivo é colocar a fábula da formiga e a cigarra de cabeça para baixo e, com isso, mostrar às pessoas que adiar a gratificação ao extremo significa ficar sem gratificação alguma — mas também estou plenamente ciente de que, infelizmente, muitas pessoas se identificam muito com a cigarra.

Até certo ponto, este livro é para ambos os lados. Quer você seja um gastador profissional, sacrificando experiências futuras que você nem sabia que queria ter, ou um pão-duro contumaz, que ainda por cima trabalha fazendo algo de que não gosta só para ganhar dinheiro para experiências que nunca vai ter, você está vivendo abaixo do ideal. Dito isto, este livro trata muito mais de levar a formiga em direção à cigarra do que o contrário.

Existem muitas maneiras de estar abaixo do ideal e apenas uma de alcançar o perfeitamente ideal. Nenhum de nós jamais será perfeito, mas seguindo os princípios deste livro, você pode evitar os erros mais recorrentes e aproveitar melhor seu dinheiro e sua vida.

Como? Todos os seres vivos, incluindo os humanos, são unidades de processamento de energia.[3] Processamos alimentos para fornecer energia a nossos corpos. O processamento de energia nos permite não apenas sobreviver na Terra, mas também viver uma vida potencialmente gratificante: com essa energia, podemos nos mover pelo mundo. Movimento é vida e, à medida que nos movemos, recebemos respostas continuamente. Essas respostas nos proporcionam descobertas, maravilhamento, alegria, e todas as outras experiências possíveis ao longo dessa grande aventura chamada vida. Quando não somos mais capazes de processar energia, somos declarados mortos, e a aventura termina. Este livro, em última análise, é sobre como aproveitar ao máximo a sua aventura antes que ela chegue ao fim. Como a recompensa de processar a energia são as experiências que você escolhe, é lógico que a maneira de aproveitar ao máximo sua vida é maximizar o número dessas experiências, especialmente as positivas.

Mas é provável que isso faça o desafio da maximização parecer mais fácil do que realmente é. Para aproveitar ao máximo a vida, não podemos simplesmente começar a obter o máximo das experiências positivas disponíveis, basicamente porque a maioria das experiências custa dinheiro. (Para início de conversa, o alimento que nos dá energia vital certamente não é de graça.) Portanto, embora seja supereficiente converter toda a nossa energia vital diretamente em experiências, muitas vezes precisamos passar pela etapa intermediária de ganhar dinheiro. Em outras palavras, precisamos gastar pelo menos uma parte de nossa energia vital trabalhando — e depois usar o que recebemos para gastar em experiências.

Mas quando o objetivo é maximizar a satisfação ao longo de sua vida, não é nada óbvio quanto da nossa energia vital deve ser aplicada para ganhar dinheiro (e quando), e a quantidade dela a ser direcionada para as experiências. Por um lado, todo mundo é diferente em vários aspectos importantes e há muitas variáveis a serem consideradas, o que acaba tornando a coisa toda um problema complexo de otimização. Por isso um aplicativo seria útil, uma vez que pode incluir muitas variáveis e fazer os cálculos necessários para ajudá-lo a comparar diferentes caminhos de vida possíveis, mostrando qual caminho leva à maior satisfação. No entanto, nem um aplicativo é capaz de prover a otimização perfeita, porque mesmo o algoritmo mais sofisticado não consegue capturar totalmente a complexidade da vida humana. Além disso, os resultados de um aplicativo dependem dos dados fornecidos, que muitas vezes são também imprecisos.

A boa notícia é que, com ou sem o uso de um software, é possível pensar de forma inteligente sobre nossas decisões de ganhos e gastos. E embora eu não tenha, nem nunca vá ter, todas as respostas, confio nos princípios orientadores que mencionei no começo, e em vários outros. Cada capítulo deste livro explica um desses princípios, ou "regras", que levam a decisões mais sábias sobre como alocar nossa preciosa energia vital. Eu e você jamais seremos perfeitos, mas, aplicando as regras que vou ensinar aqui, podemos seguir tentando nos aproximar desse ponto ideal.

Meu objetivo geral é fazer com que você pense sobre sua vida com mais propósito e determinação, em vez de simplesmente fazer as coisas seguindo o *status quo*. É claro que recomendo que você planeje seu futuro, mas nunca de maneira que se esqueça de aproveitar o presente. Entramos para dar uma volta na montanha-russa da vida apenas uma vez. Que tal começarmos a pensar em como fazer dela o passeio mais emocionante, estimulante e satisfatório possível?

Recomendação

Comece a pensar de forma ativa sobre as experiências de vida que gostaria de ter e o número de vezes que gostaria de tê-las. As experiências podem ser grandes ou pequenas, gratuitas ou caras, altruístas ou hedonistas. Mas pense no que você realmente quer da vida em termos de experiências significativas e memoráveis.

2

INVISTA EM EXPERIÊNCIAS

Regra número 2:
Comece cedo a investir em experiências

Quando eu tinha 20 e poucos anos, meu colega de quarto na época, Jason Ruffo, decidiu tirar três meses de folga do trabalho para fazer um mochilão pela Europa. Este é o mesmo amigo com quem eu estava dividindo o aluguel do apartamento do tamanho de um forno de pizza em Manhattan: nós dois éramos atendentes e ganhávamos cerca de 18 mil dólares por ano.

Para viabilizar uma viagem como aquela, Jason teria que sair do emprego e pedir cerca de dez mil dólares para a única pessoa que lhe emprestaria tanto dinheiro: um agiota. Você sabe, aquele tipo de credor que não pede garantias e não se importa com seu score de crédito, porque tem outras maneiras de garantir que você pague.

Quando soube disso, eu falei: "Você ficou maluco, cara? Pedir dinheiro emprestado a um agiota? Os caras vão quebrar suas duas pernas!" Eu não estava preocupado apenas com a segurança física de

Jason. Ir para a Europa significava que ele também perderia oportunidades de crescer na carreira. Para mim, a ideia de fazer algo assim era tão estranha quanto ir à Lua. Eu não iria com ele de jeito nenhum.

Mas Jason estava decidido, então pegou um voo para Londres, nervoso e animado por viajar sozinho com um passe de trem *Eurail* e sem roteiro definido. Quando ele voltou, alguns meses depois, não havia diferença perceptível entre a renda dele e a minha, mas as fotos e histórias de suas experiências mostravam que ele estava infinitamente mais rico por ter viajado. Você deve lembrar: isso foi no início dos anos 1990, antes da Internet de alta velocidade e do Google Earth. Para ver como era Praga sem de fato ir até lá, era preciso ir atrás de um daqueles livros de fotos que ficam em mesas de centro, sabe? Portanto, ouvir as histórias de Jason e ver as fotos dele era como ouvir o relato de um explorador exótico.

Na Alemanha, ele viu os horrores de Dachau. Na recém-formada República Tcheca, ouviu falar sobre a vida sob o regime comunista. Em Paris, fez dois amigos e passaram a tarde sentados em um parque, saboreando baguetes com queijo e vinho, com a sensação de que tudo era possível. De lá, seguiu para as ilhas gregas. Em algum momento se apaixonou por uma mulher e fez sexo na praia pela primeira vez. Conhecendo moradores locais e jovens mochileiros de várias partes do mundo, Jason aprendeu mais sobre si mesmo e sobre outras pessoas e culturas, e sentiu seu mundo se abrir. As histórias sobre as coisas interessantes que viu e as conexões que fez foram tão incríveis que senti muita inveja, e arrependimento por não ter ido junto.

Um arrependimento que só aumentou com o passar do tempo. Quando finalmente fui para a Europa, aos 30 anos, já era tarde: eu já estava um tanto velho e requintado para ficar em *hostels* e para sair com um bando de caras de 20 e poucos. Além disso, aos 30 anos eu tinha muito mais responsabilidades do que aos 20, o que tornava muito mais difícil tirar meses de folga para viajar. Por fim, infelizmente, cheguei à conclusão de que deveria ter ido antes.

Assim como eu, Jason sabe que planejou a viagem à Europa no momento certo. "Hoje em dia eu não curtiria dormir em um *hostel* com mais vinte caras em um beliche horroroso, nem gostaria de carregar uma mochila de 30 quilos nos trens e pelas ruas."

Mas ao contrário de mim, ele arriscou naquele momento e não precisou conviver com a dúvida. Apesar do empréstimo com juros altos, Jason sente o oposto de arrependimento por ter tomado aquela decisão. "Tudo o que paguei considero uma pechincha diante das experiências que adquiri", diz ele. "São coisas que ninguém pode tirar de mim, e eu não trocaria essas lembranças por dinheiro nenhum no mundo." Em outras palavras, o que ele ganhou com aquela viagem não tem preço.

Jason foi para seu mochilão pela Europa na base da intuição e do improviso. Ele não estava planejando a vida inteira e decidindo de forma consciente *investir em experiências* quando era jovem. De certa maneira, ele teve sorte por seus instintos terem levado a uma decisão tão importante. Mas, normalmente, os instintos não são suficientes, e muitas vezes nos levam para o caminho errado. Meu objetivo ao longo deste livro é torná-lo muito mais determinado em suas escolhas de vida. Quero ajudá-lo a usar dados e raciocínio para descobrir o que fazer e, assim, tomar decisões melhores. E, neste capítulo, isso significa mostrar como pensar sobre suas experiências de vida de uma forma mais quantitativa do que provavelmente você está acostumado a fazer.

O negócio da sua vida

O ponto principal aqui é que sua vida é a soma de suas experiências. Isso significa apenas que tudo o que você faz, todas as vivências diárias, semanais, mensais, anuais e únicas que você tem vão sendo acrescidas a quem você é. Quando olhar para trás, a riqueza dessas experiências será a medida de avaliação sobre quão plena foi a vida que você levou. Portanto, é lógico que é importante pensar e se esforçar a sério para planejar os tipos de experiências que deseja para si. Sem esse planejamento deliberado, você está fadado a seguir o caminho padrão e predeterminado de nossa cultura ao longo da vida: andar no piloto automático. Você chegará ao seu destino (a morte), mas provavelmente sem o tipo de jornada que teria escolhido para si mesmo.

Infelizmente, é assim que muitas pessoas escolhem seguir. Para usar outra metáfora: elas constroem um poço, pegam uma bomba e colocam o aparelho para bombear água para dentro de um copo. O copo se enche rapidamente, e logo a água começa a transbordar. Elas tomam um gole e continuam bombeando. E no final da vida, depois de décadas fazendo isso, elas percebem que ainda estão com sede. Um baita desperdício. Imagine o arrependimento que você sentiria se chegasse ao fim de seus dias e percebesse que não conseguiu viver uma vida cheia de experiências satisfatórias. Nas sábias palavras de Carson, o mordomo da série *Downton Abbey*: "O negócio da vida é a aquisição de lembranças. No final, é tudo o que há."

O conselho soa muito bom, mas também é o tipo de coisa que tende a entrar por um ouvido e sair pelo outro. A gente escuta, talvez concorde com a cabeça, e depois volta a fazer as coisas como de costume. Porém, quando meu pai estava em seus últimos dias, essa ideia me atingiu em cheio.

Meu pai não teria conseguido aproveitar nenhum tipo de férias naquele momento — sua capacidade física era muito baixa, e viajar representaria um risco muito alto. Em vez disso, dei a ele um presente descaradamente sentimental: um iPad cheio de lembranças. Ele havia jogado futebol americano pela Universidade de Iowa, inclusive durante 1959, ano em que os chamados "Hawkeyes" venceram o Rose Bowl. Então, peguei imagens de destaque daquela temporada gloriosa, digitalizei e coloquei tudo no iPad, imaginando que esse formato tornaria as memórias mais vivas e facilmente acessíveis. É claro que ele adorou. Sentado com o iPad nas mãos, assistindo ao vídeo, meu pai ria e chorava. Mesmo estando muito velho para adquirir novas experiências significativas, ele ainda conseguiu se divertir muito com o vídeo de melhores momentos. Na verdade, ele achou aquele o melhor presente de todos. Foi quando percebi que, mais perto do fim da vida, tudo que nos resta são as lembranças. Quando o corpo já está frágil demais para realizar muitas coisas, ainda é possível olhar para o que foi vivido e sentir muito orgulho, alegria e o sentimento controverso da nostalgia.

Entre a formiga e a cigarra

Mas a ideia de que você se aposenta para viver de lembranças é totalmente contrária à maior parte do que normalmente ouvimos a respeito da aposentadoria. Nos Estados Unidos, recebemos sempre a mensagem de que devemos economizar para esse momento, que precisamos investir dinheiro regularmente nos planos de aposentadoria ou de previdência privada. Saiba que essa é apenas a versão adulta das lições que aprendemos quando crianças sobre a necessidade de economizar para dias difíceis.

A versão mais conhecida da fábula da formiga e a cigarra, por exemplo, mostra a formiga sentada, descansando (e bastante orgulhosa) depois de colher seus grãos, enquanto a cigarra passa fome depois de ter ficado o verão inteiro cantando. Essa narrativa não deixa dúvidas sobre qual dos dois insetos fez a coisa certa, e com certeza não foi a cigarra, festeira e imprudente.

Não me interpretem mal: meu ponto não é que devemos ser como ela, deixando de economizar para os invernos de nossa vida, ou que gastar levianamente em experiências vale a pena porque elas são a essência da vida. Isso seria tolice. O que estou dizendo é que nossa cultura tende a *superestimar* as virtudes da formiga — do trabalho árduo e da gratificação adiada — em detrimento de outras virtudes. Como resultado, deixamos de perceber que a cigarra também tinha alguma razão. Então, sim, teria sido melhor para ela se tivesse economizado um pouco, mas ao mesmo tempo, sim, teria sido melhor para a formiga se tivesse vivido um pouco! Estou aqui para fazer a ponte entre as duas e para ajudar você a encontrar o equilíbrio certo entre essas duas formas de viver. Na verdade, a moral da história da minha versão favorita dessa fábula é mais simples: "Existe hora para o trabalho e hora para a diversão".[1] Em um capítulo mais adiante, apresentarei ferramentas que poderão ajudá-lo a fazer esse cálculo de tempo entre trabalhar e se divertir, entre ganhar dinheiro e gastá-lo.

Quanto vale uma experiência?

Quando digo que a vida é a soma de todas as nossas experiências, não digo apenas no sentido figurado. Se colocássemos um valor numérico em cada uma delas, poderíamos de fato somá-los, e isso tornaria possível comparar pacotes de experiências diferentes, um passo adiante na direção de ter sua vida com o máximo de realizações.

Mas como se coloca um valor numérico em uma experiência? Para começar, pense no prazer que você obtém de cada experiência em termos de pontos, como se fosse a pontuação de um jogo. Experiências com um grande clímax valem muitos *pontos de experiência*. Pequenos prazeres valem apenas alguns pontos. Quantos pontos você atribui a uma atividade é algo que depende totalmente de você, porque os valores e interesses são totalmente individuais. Algumas pessoas gostam de coisas simples como cuidar do jardim, então elas diriam que todos os dias passados na jardinagem valem um grande número de pontos. Outras diriam que você precisaria pagar para que eles podassem plantas ou arrancassem ervas daninhas, então, para estas, qualquer tempo gasto com jardinagem valeria zero ponto. (Não existem pontos negativos neste sistema.)

Se você pegar todas as experiências no intervalo de um ano e somar seus valores em pontos, você chega a um número (por exemplo, 5.090 pontos). Você pode representar esse número como uma barra em um gráfico. Quanto maior o número, maior a barra. É simples assim.

A fórmula pode ser aplicada a qualquer ano da sua vida até agora. Alguns anos são melhores do que outros, por vários motivos, e alguns desses motivos estão fora de seu controle. (Se um acidente o deixou confinado em uma cama de hospital por um ano, por exemplo, você provavelmente não teve muitas experiências agradáveis para somar.) Mas este livro se concentra em gerenciar o que está sob seu controle por meio das decisões que você toma — por isso, perceba que alguns fatores são, sim, escolha suas, e que um dos principais é quanto tempo você dedica para ganhar dinheiro e ter boas experiências em cada idade. Funciona como o balanço entre o trabalhar e o descansar da formiga e da cigarra. Ao assumir o controle dessas decisões, você muda o tamanho das barras e, portanto, a inclinação da sua curva. Falaremos sobre como fazer esse balanço mais tarde. Por enquanto, só quero reforçar ao máximo que a vida é mesmo a soma das suas experiências.

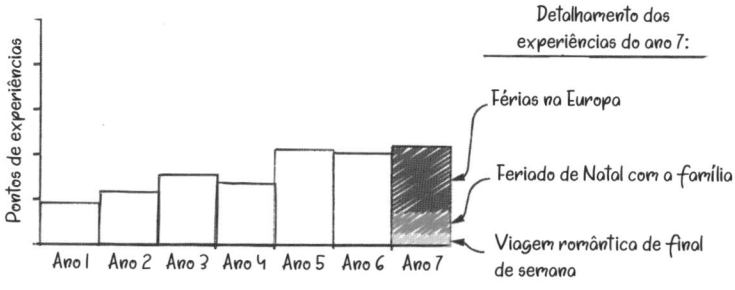

Exemplo de uma curva de realizações para um período de 7 anos

Cada barra representa o número de pontos de experiências em um ano. Todas as barras juntas ajudam a formar a sua curva de realizações. Portanto, aumentar o total de realizações aumenta a área abaixo da curva — e, ao moldar a curva, você molda sua vida.

O dividendo de lembranças

Este capítulo diz para você investir em experiências — mas elas são mesmo um investimento? Óbvio que elas demandam tempo e dinheiro, e que podem trazer prazer durante os dias e anos em que você as vive, o que por si só já as tornaria valiosas. Mas permita-me explicar por que elas também são um investimento no seu futuro.

Primeiro, vamos falar sobre o que é um investimento. A maioria de nós ouve essa palavra e imediatamente pensa no mercado de ações. Ou no mercado de títulos. Ou em uma carteira de diferentes investimentos, como ações, títulos e imóveis. O que todos têm em comum? Investimentos de qualquer natureza são mecanismos para gerar renda futura. Quando você compra ações, digamos, do Google, espera poder vendê-las mais tarde por mais do que comprou, ou pelo menos ser capaz de ganhar os dividendos que o Google emite aos acionistas, uma fração minúscula de todos os lucros anuais da empresa. Está acompanhando o raciocínio? O mesmo vale para imóveis: você compra uma casa pensando em poder revendê-la em algum momento, com lucro, e, enquanto isso, pode alugá-la e gerar renda passiva todos os meses. Se você é dono de uma empresa que fabrica componentes e compra uma nova máquina que produz esses componentes duas vezes mais rápido, com menos defeitos, a nova máquina é um investimento em seu negócio.

Temos aqui um padrão, certo? Agora pense em como expandir essa ideia, uma coisa que fazemos o tempo todo, sem necessariamente pensar em termos de investimentos. Por exemplo, digamos que você tenha um filho e esteja bancando a graduação ou pós-graduação dele. Por que você decide pagar essa quantia anual gigantesca? Simples: porque você acha que vale a pena. Você provavelmente acredita que seu filho vai se formar com os tipos de habilidades e certificações que vão ajudá-lo a obter uma renda muito maior do que teria sem diploma universitário. Mas talvez você seja cético de que esse diploma compensará algum dia. Digamos que seu filho queira estudar artesanato, mas você ouve dizer que as fábricas na China estão ficando tão boas em produzir simulacros de artesanato que as oportunidades para artesãos estão desaparecendo. Nesse caso, é provável que você fique muito menos animado em custear os cursos de artesanato dele, certo? Quando ponderamos essas coisas, estamos tomando decisões de investimento, tanto quanto se estivéssemos procurando imóveis para alugar ou comprando maquinário industrial. Os economistas chamam esses gastos com educação de "investimento em capital humano".[2]

Podemos investir em nós mesmos ou em outras pessoas. Fazemos isso sempre que achamos que o investimento trará retorno no futuro. Mas aqui vai uma ideia mais radical: o retorno de um investimento não precisa ser financeiro. Quando você ensina sua filha a nadar ou andar de bicicleta, não é porque acha que ela vai conseguir um emprego mais bem remunerado com essas novas habilidades. Experiências são assim. Quando você gasta tempo ou dinheiro com elas, elas não são apenas agradáveis no momento — elas pagam o dividendo contínuo que mencionei no Capítulo 1: o dividendo das lembranças.

Experiências rendem dividendos porque nós, seres humanos, somos dotados da faculdade da memória. Não começamos todos os dias com o cérebro em branco, como os personagens de muitos filmes. Todos os dias acordamos pré-carregados com um monte de informações que podem ser acessadas a qualquer momento e que usamos principalmente para nos locomover e navegar pelo mundo. Quando você se depara com um grande painel retangular com uma maçaneta redonda saliente, não se pergunta: *O que é isso?* Não, você sabe que é uma porta. E sabe como abrir essa porta. Portanto, há um enorme bônus por ter aprendido uma vez o que é uma porta — pense em todas as que você vai poder abrir!

Esse é um exemplo bobo, é claro, mas que mostra na prática o que a memória faz por nós. As imagens e informações guardadas nela são um investimento em nosso futuro, pagando dividendos e nos ajudando a viver vidas mais ricas. Você vê aquela pessoa fazendo café na sua cozinha e não começa do zero com ela, como se estivesse conhecendo um estranho. Você sabe que esta é uma pessoa que você ama e sabe por que a ama. Toda a história do seu relacionamento, todas as suas conversas anteriores e experiências compartilhadas construíram o sentimento atual que os une.

O mesmo vale para o investimento em qualquer experiência. Quando você tem uma experiência, você vive aquele prazer imediato e momentâneo, mas também forma lembranças que poderá reviver mais tarde. Esta é uma grande parte de estar presente na experiência humana: para o bem ou para o mal, revivemos nossas experiências, muitas vezes mais de uma vez. Podemos ouvir uma música favorita, sentir o cheiro de um perfume familiar, olhar para uma foto antiga... e, de repente, a memória é acionada e estamos revivendo um momento. Pensamos no primeiro beijo e, se foi um momento agradável, dá para sentir de novo aquele calor, aquela emoção. Ou talvez a gente ria do aparelho ortodôntico que usávamos e que tornou a experiência toda muito fofa e constrangedora. Seja como for, sempre que nos lembramos da experiência original, obtemos uma experiência extra.

As lembranças podem trazer apenas uma pequena fração do prazer que a experiência original proporcionou, mas elas também entram na soma daquilo que faz de nós quem somos. É por isso que Jason, cuja história contei no início deste capítulo, não apagaria por nada sua viagem de mochilão pela Europa. É também a razão para as pessoas tirarem e guardarem fotos — e por isso que, antigamente, antes de qualquer outro bem, o que as pessoas corriam para salvar se a casa estivesse pegando fogo eram os álbuns. Em um momento de crise, as pessoas percebem rapidamente que, enquanto os objetos materiais podem ser substituídos, as lembranças não têm preço.

O dividendo das lembranças é tão poderoso e valioso que as empresas de tecnologia estão monetizando bilhões com ele. Qualquer pessoa que tenha usado o Facebook ou o Google Fotos já recebeu alguma vez a mensagem "Neste dia, três anos atrás...", acompanhada de fotos daquele dia. Por meio desse recurso, as empresas aproveitam o dividendo de lembranças, despertando bons sentimentos e o desejo de falar com as pessoas que aparecem naquelas fotos. Todo esse processo deixa você feliz e trabalha em prol da sua fidelização. Antes do Facebook e similares, o costume era que nossos amigos e familiares iniciassem a conversa "lembra quando", papel que hoje o Facebook desempenha e com o qual monetiza. Você mesmo pode lucrar com o dividendo de lembranças, de forma não financeira, mas, para tal, primeiro é preciso *criar* essas lembranças valiosas.

Pense em alguma das melhores férias que você já teve, e digamos que ela tenha durado uma semana inteira. Agora pense em quanto tempo você gastou mostrando fotos daquela viagem para os seus amigos em casa. Acrescente a isso todas as vezes que você e as pessoas com quem viajou relembraram aquela viagem e todas as vezes que você mesmo pensou sobre isso ou deu dicas a outras pessoas que estavam pensando em conhecer o mesmo destino. Todas essas experiências residuais da experiência original são os dividendos de lembranças, e eles se acumulam. Na verdade, após muitas reflexões, algumas dessas lembranças podem trazer ainda mais prazer do que a própria experiência original.

Portanto, comprar uma experiência não compra apenas a experiência em si — também compra a soma de todos os dividendos que essa experiência trará para o resto de sua vida.

Isso fica muito claro quando você pensa em termos de pontos de experiências, que é o meu método de quantificar o quanto gostamos de uma. Lembra da representação em barras verticais para o número de pontos de uma experiência? Ok, agora pense nessa barra como apenas o começo do prazer que você está obtendo com ela. Graças ao dividendo das lembranças, você também recebe uma pequena barra extra sempre que se lembra da experiência original. Se empilharmos todas essas barras — todos os dividendos contínuos da lembrança de uma experiência —, obtemos uma segunda barra que pode ser tão alta quanto a que representa a experiência original.

Na verdade, às vezes a segunda barra fica ainda mais alta. Uma maneira de isso acontecer é por meio da composição, assim como acontece com o dinheiro no banco aplicado sob juros compostos. Devido à composição, suas economias não apenas aumentam: elas começam a crescer como uma bola de neve. E a mesma coisa pode acontecer com seus dividendos de lembranças, que também podem e vão aumentar. Isso acontece sempre que você compartilha a lembrança da experiência com outras pessoas. Isso porque sempre que você interage com alguém, compartilhando uma experiência que viveu, isso também é uma experiência em si. Você está se comunicando, rindo, criando vínculos, dando conselhos, ajudando, sendo vulnerável; ou seja, fazendo as coisas da vida cotidiana. Ao ter experiências, você não apenas vive uma vida mais engajada e interessante, como também tem mais de si mesmo para compartilhar com os outros. É como a ideia de que negócios geram mais negócios. Experiências positivas são contagiosas no bom sentido: elas iniciam uma reação em cadeia que libera mais energia do que você pensava ter. Um mais um pode ser mais do que dois. Essa é uma das razões pelas quais defendo o investimento em experiências.

Exemplo de uma curva de realizações para um período de 7 anos com dividendos de lembranças

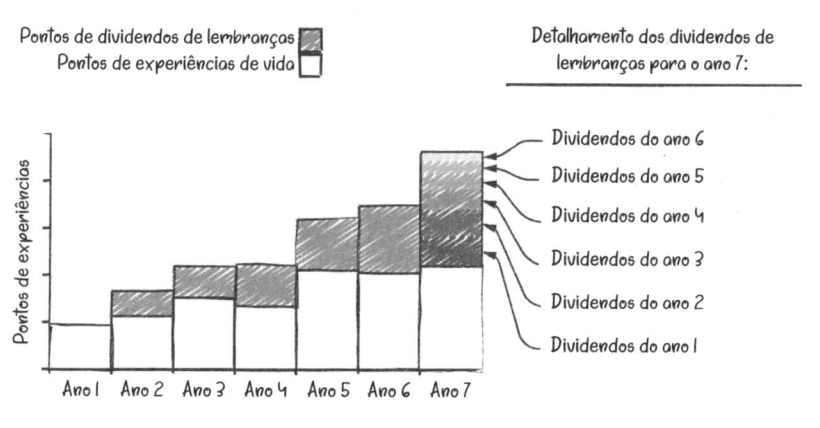

Pontos de dividendos de lembranças
Pontos de experiências de vida

Detalhamento dos dividendos de lembranças para o ano 7:
- Dividendos do ano 6
- Dividendos do ano 5
- Dividendos do ano 4
- Dividendos do ano 3
- Dividendos do ano 2
- Dividendos do ano 1

Pontos de experiências

Ano 1 Ano 2 Ano 3 Ano 4 Ano 5 Ano 6 Ano 7

Nossas experiências continuam rendendo através da memória: com o tempo, a continuidade dos dividendos de lembranças podem somar mais pontos de experiências do que os trazidos pela experiência original.

O xis da questão é que a maioria de nós não está acostumada a investir em experiências — então, se calha de sermos pessoas com perfil de investimento, em geral nos concentramos demais no retorno financeiro. Um bom exemplo é meu amigo Paulie, que há algum tempo me pediu conselhos sobre uma casa de veraneio que estava pensando em comprar na América Central. Não vou entediar você com o jargão financeiro, visto que ele estava calculando coisas como taxas de juros e incentivos fiscais e outras considerações que faziam tudo parecer uma decisão de investimento difícil. Digamos apenas que ele estava olhando para a oportunidade de um ponto de vista muito conservador e tradicional: *será que essa casa seria um bom investimento imobiliário, capaz de me proporcionar um bom retorno financeiro nos próximos 10 a 15 anos?*

Meu conselho foi abandonar completamente essa abordagem. "Esqueça o dinheiro, Paulie. Vamos conversar sobre o que você vai realmente ganhar com isso. Você tem a minha idade", lembrei a ele (não éramos mais dois garotinhos). "Então, vamos pensar no quanto você vai usar essa propriedade para investir em experiências pessoais. Ou seja, com que frequência você planeja ir e o que vai fazer quando estiver lá? Se você for para lá muitas vezes para viver férias maravilhosas, ficar com seus filhos e ter momentos insubstituíveis com sua família e amigos, bem, me parece o melhor negócio do planeta Terra!"

Eu continuei: "Mas se você quer comprar esse imóvel só para deixá-lo parado sem fazer nada além de esperar a valorização do capital investido, então quem se importa se você vai ganhar 3% a mais com ele? Não há nada de especial ou verdadeiramente transformador em um ganho extra de 3% com imóveis no exterior. É só mais um entre um milhão de tipos de investimentos que você poderia fazer. Esses 3% extras são ainda mais insignificantes quando você começa aos 50 anos. Investir em experiências, por outro lado, pode mudar a sua vida de verdade, mesmo aos 50 anos."

O que estou querendo dizer com isso é que, como tantas pessoas que investem em imóveis, Paulie estava pensando apenas no retorno sobre o patrimônio líquido, e não no retorno sobre a experiência. Para mim, isso é apenas mais uma versão do mesmo erro sobre o qual estou sempre tentando alertar as pessoas: acumular ganhos sobre ganhos e se esquecer de que o objetivo de ganhar dinheiro é poder gastá-lo com experiências que fazem da vida o que ela é.[3]

Pense a respeito: sejam quais forem as experiências que desejamos — aprender alguma coisa nova, esquiar, ver nossos filhos crescerem, viajar, desfrutar de ótimas refeições com amigos, promover uma causa política, assistir a shows ao vivo, ou qualquer um dos trilhões de combinações de experiências disponíveis —, é para obtê-las que nós acumulamos dinheiro. Além disso, graças aos dividendos de lembranças, essas experiências trazem alguma taxa de retorno, que por vezes pode ser altíssima. Era disso que Jason estava falando quando disse que não trocaria a experiência na Europa por dinheiro nenhum. É claro que a maioria das experiências não será tão transformadora quanto um mochilão pela Europa durante a juventude, e por isso não trarão uma taxa de retorno tão impressionante. Mas a verdade é que obtemos um retorno de todas as nossas experiências, em menor ou maior escala. Gastamos dinheiro com elas pelo mesmo motivo pelo qual gastamos dinheiro com investimentos financeiros (para ajudar nosso dinheiro a crescer, com o objetivo final de gerar mais ou melhores experiências).

Digo e repito: tem muita gente por aí que parece ter se esquecido de que esse é o objetivo de ganhar, economizar e investir dinheiro. Quando você pergunta às pessoas para que elas estão economizando, na maioria das vezes a resposta é "ah, para a aposentadoria". Até certo ponto, eu entendo. Todos nós precisamos economizar e investir alguma quantia de dinheiro para esse momento, afinal, ninguém quer passar fome na velhice ou ser sustentado pelos filhos. Mas entenda: como o objetivo do dinheiro é pagar por experiências, investir dinheiro para obter um retorno que garanta experiências é o mesmo que pagar por experiências indiretamente. Por que passar por tudo isso quando você pode simplesmente investir diretamente nelas — e ainda obter retorno? Não só por isso; lembre-se de que o número de experiências reais disponíveis diminui à medida que envelhecemos. Sim, precisamos de dinheiro para sobreviver na aposentadoria, mas a principal coisa que faremos nesse período será relembrar o que vivemos. Certifique-se de investir o suficiente nas experiências que você relembrará.

Comece cedo, comece cedo, comece cedo

Quando você começa a pensar nos dividendos de lembranças, uma coisa fica bem evidente: vale a pena investir cedo. Quanto mais cedo você começa, mais tempo terá para colhê-los. Por exemplo, se você começar aos 20 anos (e não aos 30), seu gráfico terá uma cauda longa, e é mais provável que os pontos adicionados na cauda sejam maiores do que a cabeça do gráfico (representada pelo número de pontos de experiências correspondentes ao evento inicial). Isso deixa claro que, quanto mais próximo você estiver da morte quando começar a ter experiências maravilhosas, menos dividendos você receberá.

Então, quando reforço a importância de investir em experiências, estou dando um conselho de investimento bem padrão. O próprio Warren Buffett recomenda: "Comece cedo. Comecei a construir esta pequena bola de neve no topo de uma colina muito longa. O truque para ter uma colina muito longa é começar muito jovem ou viver até ficar muito velho." A maioria dos consultores de investimentos recomendam que as pessoas comecem algum plano de aposentadoria ainda bem jovens. Ou seja, muitos conselhos de investimento são mais ou menos assim: *comece cedo, comece cedo, comece cedo*. Warren Buffett e outros caras do mercado de investimentos estão tentando fazer a riqueza crescer com o dinheiro, mas eu estou tentando fazer *a vida* crescer em riquezas. E quando digo riquezas, quero dizer riqueza de experiências, aventuras, lembranças — ser rico por todas as razões pelas quais acumulamos dinheiro. Então, aqui está meu conselho de investimento de forma resumida: invista nas experiências da sua vida e comece cedo, comece cedo, comece cedo.

Sei que você deve estar se perguntando: mas Bill, como você espera que eu invista em experiências no início da vida se eu mal tenho grana? Bem, investir em experiências não significa gastar um dinheiro que você não tem. É verdade que, em geral, o prazer ou a satisfação com as experiências é uma função tanto do tempo quanto do dinheiro — em geral, quanto mais tempo e dinheiro você gasta em experiências, mais satisfação você obterá delas. Mas quando você é jovem, saudável e inocente, dá para se divertir muito com experiências que não custam tanto. Meu conselho para essa fase da vida é explorar todas as experiências gratuitas ou quase gratuitas possíveis. Pense nos shows e apresentações gratuitas ao ar livre que a prefeitura da sua cidade organiza. Esses eventos são bancados com impostos que você também paga. Ou pense em quanto você pode se divertir com seus amigos apenas conversando, saindo juntos, jogando cartas ou jogos de tabuleiro. Ou quanto da sua cidade há para ver e explorar a pé ou usando transporte público. A maioria de nós não está aproveitando ao máximo essas oportunidades de diversão gratuita ou de baixíssimo custo. Eu sei que não estou, e você?

Escolha sua própria aventura

Ao longo da vida, muitas experiências nos são impostas, especialmente quando somos mais novos. Precisamos ir para a escola, e na aula de ciências nos pedem para dissecar um sapo. Talvez você diga: "Mas eu não quero dissecar um sapo", e seu professor retruca: "Bem, se você não dissecar o sapo, vai ser reprovado na matéria." Sua resposta? "Ah, tudo bem, então. Vou dissecar o sapo." Você não tem muita escolha. Mas quando somos adultos esse cenário muda, e temos o direito de decidir a melhor forma de explorar a vida e onde, como e quando investir nosso tempo e dinheiro.

Infelizmente, a maioria das pessoas faz um uso muito limitado dessa liberdade. Fazemos algumas escolhas conscientes — até certo ponto, escolhemos os nossos empregos, os nossos hobbies, os nossos relacionamentos, os nossos destinos de férias —, mas passamos grande parte da nossa vida no piloto automático. Nos movemos pelo mundo como se alguém tivesse programado as nossas ações e não refletimos com cuidado sobre as formas com que estamos gastando nosso tempo e dinheiro.

É bem fácil perceber isso com o hábito do café. Muitas pessoas param todos os dias para tomar seu café em alguma cafeteria gourmet, mas não se dão conta de que todas essas pequenas indulgências representam um gasto bastante alto ao longo de um ano.[4] Não estou aqui para dizer que você deve deixar de tomar o seu café todos os dias para economizar dinheiro e assim "ficar rico". Na verdade, a última coisa que quero é que você chegue ao fim da vida rico em dinheiro e pobre em experiências agradáveis. Mas imagine só todas as experiências que você poderia ter com todo o dinheiro que gasta diariamente com seu Frappuccino...

É claro que, quando falo sobre isso, a resposta que geralmente recebo é "ah, mas eu gosto de tomar meu Starbucks todos os dias". Como argumentar contra isso? Se a pessoa está feliz com isso, maravilha. Mas posso dizer o seguinte: "Pelo menos esteja ciente do quanto esse hábito custa." Por exemplo, você pode dizer a si mesmo: *com base no que estou gastando no Starbucks, posso comprar uma passagem de ida e volta para qualquer lugar do país de três em três meses*. Será que prefiro fazer uma viagem ou seguir com meus Frapuccinos? A resposta depende de você, e sua escolha pode ainda assim ser o Starbucks. Se você pensou na questão de forma ativa e tomou uma decisão ponderada, ao menos não está mais agindo no piloto automático.

Fazer escolhas calculadas sobre como gastar seu dinheiro e seu tempo é a essência para aproveitar ao máximo sua energia vital.

Recomendações

- Lembre-se de que "cedo" é agora. Entre as experiências sobre as quais você pensou anteriormente, pense em quais seriam apropriadas para investir hoje, este mês ou este ano. Se você está resistindo a realizá-las agora, pense sobre os riscos de *não* as realizar agora.
- Pense nas pessoas com quem você gostaria de ter experiências — e pense em quantos dividendos de lembranças receberá se vivê-las mais cedo em vez de mais tarde.
- Pense em como você pode aumentar ativamente seus dividendos. Ajudaria se você tirasse mais fotos em ocasiões especiais? Se planejasse mais encontros com pessoas com quem você compartilhou bons momentos no passado? Se fizesse um compilado desses momentos em vídeo ou em um álbum de fotos?

3

POR QUE MORRER SEM NADA?

Regra número 3:
Tenha como objetivo morrer sem nada

Seguir no piloto automático é fácil, e é por isso que o fazemos. Mas se você está tentando viver uma vida plena e ideal, em vez de apenas seguir o caminho mais prático, o piloto automático vai privar você de obter o que deseja. Para aproveitar a vida de forma absoluta, e não apenas sobreviver, precisamos parar de seguir adiante sem grandes reflexões e tomar as rédeas de forma ativa para chegarmos aonde desejamos. Essa não vai ser a última vez que digo isso: ajudar você a viver de acordo com escolhas mais ponderadas é um dos meus maiores objetivos aqui. Precisamos continuar revisitando esse tema ao longo destas páginas, porque o piloto automático opera em diversas áreas da nossa vida, desde nossa forma de ganhar dinheiro até nossa forma de doar o dinheiro que temos. Cada tipo de piloto automático tem sua própria maneira de desperdiçar nossa energia vital e, portanto, precisamos de abordagens diferentes para eliminar os desperdícios. Este capítulo se concentra no processo de ganhar e economizar mais dinheiro do que você jamais poderá desfrutar. Vamos sugerir uma solução pensada para acabar com esse tipo de desperdício.

Para ilustrar esse ponto, falarei um pouco sobre John Arnold, uma pessoa com quem fiz amizade anos antes de ele se tornar bilionário. Já nos conhecíamos quando John criou um fundo de investimentos chamado Centaurus, cujo objetivo era lucrar bastante com sua experiência em negociação na área da energia. Mas enquanto trabalhava lado a lado com ele na Centaurus, pude ver que, de alguma forma, John muitas vezes deixava sua boa vida de lado em troca de ganhar mais milhões. Durante um dia de trabalho pesado, ele se virou para mim e disse: "Bill, quando eu chegar a 15 milhões de dólares, se eu ainda estiver trabalhando, me dá um soco na cara, ok?"

Bem, é claro que eu não fiz isso quando John alcançou a tal meta, e ele continuou trabalhando como corretor. John é um cara brilhante. (As pessoas o chamavam de "o rei do gás natural", devido a seus ganhos imbatíveis.) Em dado momento, John se deu conta de que faz muito mais sentido gastar dinheiro fazendo as coisas que se ama do que apenas seguir ganhando dinheiro, mas sua meta continuava mudando. Ele não parou nos 15 milhões. Suas negociações iam tão bem que esses 15 milhões viraram 25, e em certo ponto se tornaram 100 milhões, e assim por diante. Quando se entra em uma sequência de vitórias tão grande, é difícil parar, mesmo quando a mente racional diz que deveríamos.

A vida de John não se limitava ao trabalho. Ele fazia uma ou outra viagem para grandes eventos, mas dificilmente para algum destino ou evento espetacular, como seria esperado de um multimilionário. Na verdade, à medida que sua riqueza crescia, seu tempo de lazer parecia diminuir. John parecia preso ao raciocínio de que, se ganhasse mais dinheiro, poderia fazer mais coisas. Só que, na prática, ele não estava fazendo nem um pouco mais.

John continuou comandando a Centaurus e não parou, mesmo quando atingiu um patrimônio líquido de 150 milhões de dólares. Em 2010, a fundação filantrópica que ele e a esposa criaram chegou ao total de 711 milhões de dólares em ativos. John era tão rico que suas doações eram milionárias como ele. E, embora não gostasse muito daquele trabalho, ele seguiu trabalhando. Quando finalmente se aposentou, em 2012, aos 38 anos, havia construído um patrimônio de mais de 4 bilhões de dólares.

É claro que se aposentar relativamente jovem, aos 38 anos, é apenas um sonho para a maioria das pessoas, mas, para John, a aposentadoria estava atrasada em alguns anos. Por quê? Duas razões. Primeira, John nunca vai recuperar aqueles anos que passou concentrado apenas em ganhar dinheiro. Ele nunca mais terá 30 anos e seus filhos nunca mais serão bebês. Segunda, ele ganhou tanto dinheiro que agora enfrenta o mesmo problema do personagem de Richard Pryor na comédia *Chuva de milhões*: é bem difícil gastar uma fortuna assim com a velocidade necessária. Ele já mora em uma casa magnífica e hoje em dia faz praticamente o que quer.

Um dos motivos pelos quais John não consegue gastar todo esse dinheiro são os filhos: por mais que queira ter o Maroon 5 fazendo um show particular em seu quintal todos os sábados, por exemplo, John não faz esse tipo de coisa porque não quer deixar seus filhos mimados. Filhos limitam nossa forma de gastar dinheiro e tempo. Tenha em mente que cada escolha que você faz afeta as escolhas subsequentes, e ter filhos é o exemplo mais comum disso.

John poderia dizer que se tivesse se aposentado com 15 milhões, nunca teria chegado aos 4 bilhões — uma quantia que lhe permite provocar um impacto muito maior nas causas sociais para as quais advoga. Uma grande verdade, sim, mas John também seria o primeiro a admitir que ultrapassou o ponto ideal da utilidade desse dinheiro. Ele ultrapassou esse ponto em 1,6 bilhão de dólares? Em 2 bilhões? Impossível saber, mas com certeza foi antes de acumular 4 bilhões.

Você também pode estar pensando que John deve ter se divertido muito ganhando todo esse dinheiro, caso contrário não teria continuado fazendo isso por tanto tempo. Talvez ele tenha permanecido atrás da mesa de operações porque a sensação de negociar era mais emocionante do que qualquer experiência que ele poderia viver em casa.

Acontece que John não estava fazendo uma escolha calculada entre trabalho e família, ou entre trabalhar por dinheiro e os milhões de outras coisas que poderia ter feito com a sua riqueza, tempo e talento.

Não, ele continuava trabalhando porque adquiriu o hábito, como um fumante que começou a fumar quando era adolescente porque queria parecer legal para as garotas. Mas agora que arrumou uma namorada, por que continuar fumando? Ele havia adquirido um vício, e vícios são difíceis de largar. Para algumas pessoas, trabalhar por dinheiro pode ser a mesma coisa; é mais fácil continuar fazendo o que você sempre fez, especialmente quando o que você tem feito continua a recompensá-lo com a forma universal de reconhecimento da sociedade por um trabalho bem-feito, isto é, com dinheiro. Uma vez que você adquire o hábito de trabalhar por dinheiro para viver, a emoção de ganhar dinheiro supera a emoção de *viver* de fato.

Claro que John é um caso extremo, e sua situação simboliza um problema da classe alta. Mas a situação em que ele se encontra não é exclusiva, e nem mesmo se limita apenas aos ultrarricos em geral. Muitas pessoas acham que nunca ganharam o suficiente, e à medida que o patrimônio líquido cresce, suas metas continuam mudando. Mas não importa quem você seja, se dono de uma indústria ou um trabalhador comum. Uma coisa é verdade: se você gasta horas e mais horas de sua vida acumulando dinheiro e depois morre sem gastar tudo, então você também desperdiçou muitas horas preciosas da sua vida sem necessidade. Simplesmente não há como ter essas horas de volta. Se você morrer com 1 milhão de dólares na conta, isso é igual a 1 milhão de dólares em experiências que você não viveu. E se você morrer com 50 mil dólares sobrando, bem, são 50 mil dólares em experiências que você não viveu. Nem um dos dois cenários é o ideal, de forma alguma.

Um desperdício de energia vital: você pode estar trabalhando de graça

Veja de outra forma: pense em todas as horas da sua vida que você desperdiça ganhando um dinheiro que nunca gasta. Tomemos como exemplo Elizabeth, uma mulher (fictícia) solteira de 45 anos que ganha 60 mil dólares por ano em seu trabalho de escritório em Austin, Texas. Esse salário a coloca na metade superior de todas as pessoas de 45 anos com renda nos Estados Unidos.[1] (Todos os valores em dólares neste exemplo são reais, ajustados pela inflação.) Como a maioria de nós, Elizabeth tem que pagar imposto de renda, impostos específicos e o sistema de saúde (no Brasil, o equivalente ao desconto de INSS), portanto, seu lucro líquido é de aproximadamente 48.911 mil dólares por ano.[2] Ela trabalha duro, em média 50 horas por semana, então sua renda líquida chega a 19,56 dólares por hora: isso é quanto ela leva para casa por cada hora que passa no escritório.

Graças a um estilo de vida frugal, Elizabeth conseguiu pagar seu financiamento estudantil alguns anos depois de se formar na faculdade e comprou sua casa quando tinha 30 e poucos anos, quando os preços das moradias em Austin ainda eram relativamente baixos. A esta altura, ela já pagou a hipoteca, então é proprietária do imóvel. Se decidisse vendê-lo hoje, receberia 450 mil dólares por ele.

Em 2019, considerado um ano normal, ela gastou apenas 32.911 dólares (economizando assim exatamente 16 mil dólares). Elizabeth espera se aposentar em vinte anos, então ela está guardando uma boa parte de seu salário em um plano de aposentadoria e no banco. Ela sabe que o plano de aposentadoria é um bom negócio, especialmente porque utiliza o seu dinheiro antes da incidência de taxas, o que torna seu custo com impostos mais baixo do que se ela colocasse todo o dinheiro em contas de poupança normais. Alguns empregadores igualam as contribuições dos empregados ao plano de aposentadoria, mas digamos que a empresa de Elizabeth não faça isso.

Elizabeth é uma funcionária confiável de uma grande empresa, por isso seu emprego parece seguro, e ela espera receber aumentos pequenos, mas constantes, todos os anos até se aposentar. Para manter este exemplo simples, vamos supor que ela mantenha o mesmo salário ajustado pela inflação até se aposentar. Suponhamos também que, além de pagar a casa, ela só começou a poupar para a aposentadoria aos 45 anos. Portanto, quando se aposentar aos 65 anos, conforme planejado, ela terá economizado 320 mil dólares (16 mil por ano durante os 20 anos entre 45 e 65 anos). Portanto, seu patrimônio líquido aos 65 anos será de 770 mil dólares, com 320 mil em diferentes contas de aposentadoria e mais 450 mil do valor da sua casa própria (considerando que o valor do imóvel não aumente).

Quanto tempo durariam esses 770 mil dólares para ela? Bem, depende de quanto ela gaste por ano. Pesquisas sobre os gastos reais das pessoas após a aposentadoria mostram que os gastos não são constantes e muitas vezes diminuem nos anos posteriores (como explicarei mais adiante). Mas mantendo o nosso exemplo simples, suponhamos que Elizabeth gaste exatamente 32 mil dólares a cada ano de aposentadoria, ou apenas mil dólares a menos do que gastava quando estava trabalhando. (Mais uma vez, por uma questão de simplicidade, vamos supor que o retorno dos seus investimentos para aposentadoria corresponda exatamente ao aumento anual do custo de vida.)

Com esse pressuposto, suas economias vão durar pouco mais de 24 anos (770 mil dólares divididos por 32 mil dólares por ano). Mas Elizabeth não viverá mais 24 anos: ela morre aos 85, ou 20 anos depois de deixar o mercado de trabalho. Sendo assim, ela deixa para trás 130 mil dólares.

Estou dizendo isso porque quero que você pense de fato sobre o verdadeiro custo, o terrível desperdício, de deixar para trás 130 mil dólares. Eu já disse que você pode pensar nesse dinheiro como se fossem experiências perdidas — o que quer que os 130 mil dólares pudessem ter comprado para Elizabeth. Esse cenário é triste por si só, mas não é só isso. Observando o que foi necessário para economizar tanto dinheiro — de acordo com o valor por hora de Elizabeth —, você pode ver quantas horas desnecessárias ela passou em seu trabalho de escritório. Quantas horas foram? Bem, divida os 130 mil por 19,56 dólares por hora e você terá um pouco mais de 6.646. São 6.646 horas que Elizabeth trabalhou por um dinheiro que nunca conseguiu gastar. São mais de dois anos e meio em semanas de trabalho de 50 horas! *Dois anos e meio trabalhando de graça.* Que desperdício de energia vital.

Os números seriam ainda maiores se o cálculo levar em conta que sua poupança rendeu juros acima da inflação, e que ela também receberia um valor da previdência. Mas mesmo com nossas suposições muito conservadoras, teria sido melhor para Elizabeth se aposentar mais cedo ou gastar mais dinheiro ao longo da vida.

Você pode estar pensando que a situação de Elizabeth não é a regra. E sim, você estaria certo, por exemplo, em apontar que algumas pessoas ganham um salário por hora muito mais alto durante suas carreiras. Portanto, para quem ganha mais, 30 mil dólares não representam tantas horas (ou anos) de trabalho desnecessário. Isso é verdade. Mas o problema é o seguinte: essas pessoas acabam morrendo com muito mais de 130 mil guardado. As pessoas que ganham bastante por hora, ou recebem um salário anual alto, por vezes sentem-se ainda mais tentadas a continuar trabalhando e a seguir ganhando dinheiro. De uma forma ou de outra, é um desperdício de energia vital.

A sua renda pode ser maior ou menor do que qualquer um desses exemplos. Não importa, porque a conclusão ainda é a mesma: se você não quer desperdiçar sua energia vital, deve tentar gastar todo o seu dinheiro antes de morrer.

Para mim, essa lógica é incontestável. Talvez seja por causa da minha formação como engenheiro, ou talvez seja por isso que escolhi estudar engenharia, mas adoro eficiência e odeio desperdício. E não consigo pensar em nenhuma forma pior dele do que desperdiçar sua energia vital. Para mim faz *todo* o sentido querer morrer sem nada. Não significa ficar sem nada *antes* de morrer, porque isso o deixaria na mão, mas deixar o mínimo possível de dinheiro sem uso, fazendo valer todo o tempo e energia que você gastou trabalhando para obtê-lo.

Estou longe de ser a primeira pessoa a sugerir que o plano de morrer sem nada é a forma racional de se viver. Na década de 1950, um economista chamado Franco Modigliani, que ganhou o Prêmio Nobel, postulou algo que veio a ser conhecido como Hipótese do Ciclo de Vida (LCH, na sigla em inglês), que é um modelo de administração de gastos e poupanças para tentar aproveitar ao máximo o dinheiro *ao longo da vida*. Basicamente, Modigliani dizia que aproveitar ao máximo o dinheiro ao longo da vida exige que, como disse outro economista, "o patrimônio chegue a zero na data da morte".[3] Em outras palavras, se você sabe quando vai morrer, deve morrer sem nada — porque se não fizer isso, não estará obtendo o máximo proveito (utilidade) do seu dinheiro. E quanto à possibilidade muito real de você não saber quando vai morrer? Modigliani tem uma resposta simples para isso: para estar seguro, mas ainda assim evitar deixar dinheiro para trás de forma desnecessária, basta pensar na idade máxima que alguém pode viver. Assim, uma pessoa racional, na opinião de Modigliani, deve distribuir sua riqueza por todos os anos, até a idade mais avançada que puder viver.

Algumas pessoas tentam viver desta forma racional e de maneira a maximizar os benefícios, mas ainda tem muita gente que não. Ou as pessoas economizam muito ou economizam muito pouco. A otimização de todo o período provável de vida exige muita reflexão e planejamento: é mais fácil seguir buscando recompensas de curto prazo (miopia) e permanecer no piloto automático (inércia) do que fazer o que será bom para você a longo prazo. Essas tendências podem afetar a todos nós, formigas e cigarras. A miopia costuma ser o problema da cigarra que gosta de se divertir e gasta muito. A inércia também pode atingir a formiga responsável — principalmente mais tarde na vida, quando quem foi um zeloso poupador precisa de repente utilizar o pé-de-meia que construiu com tanto cuidado. Os economistas comportamentais explicam que a racionalidade implicada em uma ação — neste caso, passar da poupança para a "despoupança" — não significa dizer que as pessoas a realizarão com facilidade. A inércia é uma força muito poderosa. Como disseram certa vez os economistas Hersh Shefrin e Richard Thaler: "É difícil ensinar novas regras a uma velha família".[4]

Morrer sem nada me parece um objetivo tão claro e importante que quero ir direto ao próximo passo, que é ajudá-lo a descobrir como, de fato, atingir esse objetivo. No entanto, já discuti essas ideias com um número suficiente de pessoas para saber que não posso ir direto ao "como": as mesmas poucas perguntas e objeções continuam surgindo, e sei que não posso ignorá-las. Então, primeiro responderei a essas perguntas frequentes e, se você ainda estiver me acompanhando em relação ao valor e a viabilidade de morrer sem nada, passaremos a algumas ferramentas que podem ajudá-lo a fazer isso acontecer.

"Mas eu amo meu trabalho!"

Quando digo que deixar dinheiro para trás equivale a um desperdício de energia vital ou a trabalhar de graça, às vezes escuto pessoas dizendo que a minha análise não se aplica a elas porque elas amam o que fazem. Algumas pessoas chegam ao ponto de dizer que pagariam para exercer o trabalho que amam, algo do qual duvidei até começar a namorar uma dançarina profissional. (Não, ela não é *stripper*.) A dança é um campo extremamente competitivo, com muito mais testes do que trabalhos pagos disponíveis para todos e, ao contrário da atuação ou de alguns outros campos competitivos, você nunca vai conseguir ficar rico dançando, não importa o tamanho do sucesso que alcançar.

No entanto, para seguir no mercado, é preciso aperfeiçoamento contínuo em busca de proficiência, além de morar perto de cidades caras como Nova York e Los Angeles. Assim, a maioria dos bailarinos precisa ter outros empregos que, na verdade, custeiem sua verdadeira paixão. Então, sim, entendo que algumas pessoas amam o que fazem e veem o trabalho como uma experiência de vida gratificante por si só. E eu acho isso maravilhoso e que todos nós deveríamos ter essa sorte!

Mas, ainda assim, acho que também seria melhor para essas pessoas se morressem zeradas, e vou explicar por quê. Primeiro, vejamos o argumento delas, que é mais ou menos assim: se o seu trabalho em si é uma experiência divertida e gratificante, então qualquer dinheiro que você ganha ao realizá-lo é apenas um subproduto, como as cinzas que sobram da fogueira. Quando você acendeu o fogo, criar cinzas não era seu objetivo: você se aproveitou do calor do fogo e da luz, e por acaso também obteve algumas cinzas no processo. Não há mal nenhum nisso, e certamente não há mal nenhum em ganhar dinheiro realizando o trabalho que você ama.

Mas o problema é o seguinte: mesmo as pessoas que enxergam o trabalho como uma forma de diversão estariam melhores se gastassem pelo menos uma porcentagem do seu tempo em experiências que não envolvessem trabalhar por dinheiro. Mesmo que a dança seja a sua vida, é provável que você não queira fazer isso 24 horas por dia, sete dias por semana. Além disso, quando você estiver na casa dos 40, 50 ou 60 anos, talvez queira passar uma porcentagem menor da semana dançando do que quando tinha 20 ou 30 anos.

Claro, é possível que você não queira reduzir suas horas de trabalho à medida que envelhece; talvez você queira mesmo continuar dançando (ou advogando, lecionando ou seja lá qual for a profissão que goste) em tempo integral, desde que seja capaz, e ganhando dinheiro por fazer isso. Fique à vontade! Apenas certifique-se de gastar o dinheiro que você ganha em tudo o que você valoriza: faça mais viagens de primeira classe, dê festas melhores, vá ver sua dançarina favorita se apresentar ao vivo. Porque mesmo que você tenha aproveitado cada minuto do trabalho que lhe rendeu aquele dinheiro, deixar de gastar esse dinheiro é, sim, um desperdício. Para usar uma metáfora dos videogames, é como se você ganhasse uma vida extra e depois decidisse jogá-la fora. É como preferir deixar o Mario cair de uma ponte em vez de levá-lo até o Reino dos Cogumelos. Você faria isso só porque não estava contando com aquela vida extra? Por que adotar essa atitude de "tudo o que vem fácil, vai fácil"?

O mesmo acontece com qualquer dinheiro que você receba. Para "maximizar sua vida", *não* importa de onde veio o dinheiro. Quer você o ganhe por um trabalho que ama ou por uma herança de seu bisavô, quer o dinheiro seja resultado de seguir sua paixão ou por ser membro do clube dos herdeiros sortudos, uma vez dado a você, ele se torna seu. E uma vez que é seu, ele agora representa horas da *sua* vida, que você pode trocar por qualquer coisa que o ajude a viver a melhor vida possível. Se a dança é a sua vida, e você também ganha dinheiro com ela, vá em frente e gaste em experiências relacionadas à dança: esbanje em aulas particulares com os melhores professores, se é isso que você valoriza, ou contrate alguém para limpar sua casa para você ter mais tempo para praticar. Só não deixe que esse dinheiro fique parado e seja desperdiçado por causa de onde ele veio. A origem do seu dinheiro não muda o cálculo para maximizar sua vida.

"Mas... Mas..."

Quando digo a frase "morra sem nada", a reação imediata da maioria das pessoas é de medo, logo seguido pelo pensamento de que morrer com dinheiro sobrando não é um desperdício total, porque esse dinheiro irá para seus herdeiros, ou talvez para instituições de filantropia. A expressão mais comum desta crença está na frase: "Mas e os meus filhos?"

A questão dos filhos surge com tanta frequência, e há tanto a dizer sobre ela, que merece um capítulo próprio, e de fato existe um, juntamente com os meus pensamentos sobre as doações para a filantropia. Mas, por enquanto, vou falar um pouco da *minha* resposta à questão dos filhos.

Em primeiro lugar, sim, com certeza você pode deixar dinheiro para as pessoas e causas com as quais você se preocupa, mas a verdade é que seria melhor que essas pessoas e causas aproveitassem a sua riqueza o quanto antes. Por que esperar até depois que você morrer?

Em segundo lugar, qualquer quantia que você der aos outros se tornará imediatamente dinheiro deles, não mais seu. Mas quando falo em morrer sem nada, estou falando do *seu* dinheiro. Tudo o que você deu aos seus filhos vai seguir sendo deles, então não há necessidade de planejar sobre mais dinheiro para eles. Você vai aprender muito mais sobre como planejar de forma pensada o que deixar, para quem e quando, em um capítulo mais adiante neste livro.

Mas agora quero falar sobre o medo. Muitas pessoas me disseram ter medo, em muitos casos "pânico", de ficar sem dinheiro antes de morrer. E eu entendo. Ninguém quer passar os seus últimos anos na pobreza, por isso é compreensível que as pessoas poupem para o futuro. E não estou dizendo que você *não deva* fazer isso. O que estou dizendo é que as pessoas que poupam tendem a poupar *demais* e para usar *muito tarde* em sua vida. Elas se privam hoje para cuidar de um futuro eu já muito, muito mais velho, que talvez nunca viva o suficiente para desfrutar daquele dinheiro.[5]

Pessoas que economizam demais

Como sei que as pessoas economizam muito para usar tarde demais? Bem, eu conferi as estatísticas. Se analisarmos os dados sobre o patrimônio líquido por idade, descobriremos que a maioria das pessoas continua acumulando riqueza durante décadas, e a maioria só começa a gastar essa riqueza muito tarde na vida.

O Conselho do FED, o Banco Central dos Estados Unidos, monitora quanto os norte-americanos acumularam em várias fases da vida.[6] Por exemplo, pela Pesquisa de Finanças do Consumidor mais recente, ficamos sabendo que a média do patrimônio líquido das famílias chefiadas por pessoas com idade entre os 45 e os 54 anos é de 124.200 dólares. Isso significa que metade dos grupos familiares nessa faixa etária possui pelo menos 124.200 dólares em poupança, enquanto a outra metade poupou mais ou menos do que isso — alguns pouparam muito mais e outros muito menos. O que é muito mais interessante do que a média para essa faixa etária é a tendência geral. Ao observar os números do patrimônio líquido em outras idades, é possível ver um padrão claro: o patrimônio líquido médio continua aumentando à medida que as pessoas envelhecem.

Média do patrimônio líquido por idade do chefe da família
Em milhares de dólares X idade

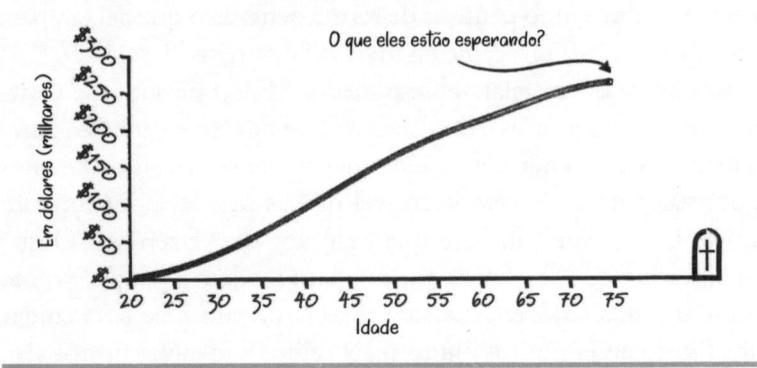

A média do patrimônio líquido dos norte-americanos continua aumentando pelo menos até meados dos 70 anos de idade.

É fácil entender o motivo: os rendimentos anuais das pessoas tendem a aumentar com a idade e elas continuam poupando o que não gastam, o que faz seu pé-de-meia crescer de forma contínua. E isso é ótimo até certo ponto, porque existe um ponto ideal na vida de todos em que é possível aproveitar ao máximo os frutos da riqueza acumulada. O problema é que as pessoas continuam a poupar muito além desse ponto ideal. Assim, os chefes de família norte-americanos com idades entre 65 e 74 anos têm a média de seu patrimônio líquido em 224.100 dólares, acima dos 187.300 dólares poupados pelos chefes de família entre 55 e 64 anos. Isso é maluquice! Pessoas que passaram dos 70 anos ainda estão poupando para o futuro! Na verdade, mesmo em meados dos 70 anos de idade, as pessoas dessa metade superior da população dos Estados Unidos não começam a usar suas economias. A média do patrimônio líquido para os chefes dos grupos familiares norte-americanos com 75 anos ou mais é o mais alto entre todas as faixas etárias: 264.800 dólares. Assim, mesmo com o aumento da expectativa de vida, milhões de norte-americanos estão no caminho certo para que o seu suado dinheiro viva mais do que eles mesmos. Certo, as pessoas mais velhas muitas vezes poupam antecipando custos com cuidados de saúde, mas, como veremos em breve, as despesas globais das pessoas diminuem com a idade, mesmo levando-se em conta os custos dos cuidados de saúde.

Outros dados apontam na mesma direção. Um estudo de 2018 do Employee Benefit Research Institute[7] utilizou informações sobre a riqueza (receita e patrimônio) e os gastos dos norte-americanos mais velhos para ver quanto os patrimônios das pessoas mudaram durante os seus primeiros 20 anos após a aposentadoria. ("Ou até sua morte", acrescentaram os autores do estudo, como que para lembrar aos leitores que nem todos conseguem desfrutar de 20 anos completos de aposentadoria.) Em outras palavras, as pessoas estavam gastando sua riqueza, ou estavam em grande parte preservando seu patrimônio? Aqui estão algumas das principais descobertas:

- No geral, as pessoas demoram muito para gastar ("desacumular") seus patrimônios.
- Em todas as idades, quer se trate de aposentados na faixa dos 60 ou dos 90 anos, a razão mediana entre despesas e rendimento familiar oscila em torno de 1:1. Isso significa que os gastos das pessoas continuam a acompanhar de perto os seus rendimentos. Portanto, à medida que os rendimentos das pessoas diminuem, os seus gastos também diminuem. Essa é outra forma de ver que os aposentados não estão gastando todo o dinheiro que pouparam.
- No segmento mais elevado, os aposentados que tinham 500 mil dólares ou mais perto da aposentadoria tiveram uma média de

gastos de apenas 11,8% desse dinheiro 20 anos mais tarde ou até o momento de sua morte. Isso indica uma sobra de 88% do total — o que significa que uma pessoa que se aposenta aos 65 anos com meio milhão de dólares ainda tem mais de 440 mil dólares restantes aos 85 anos!

- No segmento inferior, os aposentados com menos de 200 mil dólares economizados para a aposentadoria gastaram uma porcentagem mais alta (como seria de esperar, já que tinham menos para gastar no geral), mas mesmo os membros na média desse grupo gastaram apenas um quarto de seus patrimônios 18 anos após a aposentadoria.
- Um terço de todos os aposentados norte-americanos na prática *aumentaram* seus patrimônios após a aposentadoria! Em vez de reduzirem sua poupança de forma lenta ou rápida, essas pessoas continuaram a acumular riqueza.
- Os aposentados que recebem pensão — ou seja, que possuem uma fonte garantida de receita contínua após a aposentadoria — gastaram muito menos do seu patrimônio (apenas 4%) durante os primeiros 18 anos após a aposentadoria, em comparação aos aposentados sem pensão (que gastaram 34% do patrimônio).

Dessa forma, fica claro que as pessoas que ao longo dos seus anos de trabalho diziam estar poupando para a aposentadoria não estão de fato gastando essas reservas quando chegam à aposentadoria. Ou seja, definitivamente *não* estão no caminho certo para morrer zeradas. Algumas não parecem sequer ter a *intenção* de morrer zeradas. Isso fica bastante claro quando olhamos para os pensionistas. Os aposentados que recebem pensão poderiam usar mais suas poupanças do que qualquer outra pessoa, uma vez que sua receita mensal assegurada para toda a vida é a garantia de que nunca vão passar fome. Mas o interessante é que eles são os que menos gastam seu patrimônio percentualmente, talvez porque, como mostram os dados, seu patrimônio já fosse maior.

Portanto, a dúvida persiste: por que os aposentados não gastaram mais do seu dinheiro quando eram jovens o suficiente para aproveitar sua riqueza de forma mais plena? O que eles estavam esperando?

Existem algumas respostas para essa pergunta. A primeira é que as pessoas tinham boas intenções em gastar o dinheiro, mas quando atingiram uma certa idade, descobriram que os seus desejos e necessidades mudaram, ou talvez diminuíram. Os especialistas em planejamento de aposentadoria até usam uma linguagem para esse padrão de consumo: anos de aceleração (*go-go*), anos de desaceleração (*slow-go*) e anos de restrição (*no-go*).[8] A ideia é que, quando se aposenta, você está ansioso para viver todas as experiências que adiou até aquele momento e ainda (na maioria dos casos) tenha saúde e energia para vivê-las. Esses são os seus anos de aceleração. Depois, normalmente aos 70 anos, você começa a desacelerar à medida que risca alguns itens de sua lista de desejos e sua condição física decai. E mais tarde ainda, aos 80 anos ou mais, você não tem muito o que fazer, não importa quanto dinheiro ainda tenha. Como disse um consultor de planejamento de aposentadoria: "Meu pai tem 86 anos e não quer ir a lugar nenhum, só ficar perto de casa."[9]

Eu vi pessoalmente algo assim acontecer com minha avó quando ela tinha 70 e muitos e eu 20 e tantos. Engatinhando na carreira como trader, eu estava animado com a possibilidade de compartilhar minhas novas riquezas com as pessoas que amo, e minha avó era uma delas. Então dei a ela um cheque de 10 mil dólares. Parece um presente idiota hoje em dia e, se eu soubesse o que sei agora, teria dado a ela uma experiência memorável de verdade, como uma viagem para visitar parentes em outro estado. Mas naquela época eu pensava que as pessoas sabiam melhor o que dar para si mesmas. Eu teria gostado que a pessoa simplesmente me desse dinheiro, então foi exatamente isso o que fiz pela minha avó.

Minha avó morava com minha mãe naquela época, então, de vez em quando, eu perguntava à minha mãe em que minha avó havia gastado o dinheiro. E descobri que a vovó não estava gastando com nada. Não é como se ela fosse pobre e precisasse daquilo para pagar as contas. Ela simplesmente não tinha muito o que fazer com 10 mil dólares. Quando chegou o Natal daquele ano, a vovó me deu um presente: um suéter. Até hoje, pelo que sei, aquele suéter (que eu acho que custou cerca de 50 dólares) foi a única coisa que saiu do meu presente para ela. Aquela transferência de 10 mil não proporcionou nenhuma alegria além da que ela sentiu ao me dar o suéter, ou ao saber que seu neto queria lhe dar dinheiro.

Mas seja qual fosse a razão, minha avó simplesmente não conseguia gastar aquele dinheiro. Sua postura de poupadora passava dos limites do próprio bem-estar — era uma pessoa que mantinha todos os sofás, cadeiras e poltronas cobertas com plástico para proteger o estofamento do desgaste. Infelizmente, é claro, o plástico também tornava os móveis desconfortáveis e pouco atraentes. Um dia, entrei na casa da minha avó para o funeral de alguém e sentei-me num sofá colorido e confortável. Ela havia tirado o plástico para essa ocasião especial. Mas quando a visitei novamente, todo o plástico estava de volta e assim foi pelo resto da vida dela. Isso nunca fez sentido para mim: por que gastar todo aquele dinheiro em móveis que você não aproveita? O plástico sobre os sofás é um microcosmo que serve de exemplo para muito do que estou falando neste livro: a insensatez da gratificação adiada por tempo indeterminado.

Podemos pensar que, à medida que envelhecem, as pessoas passam a gastar dinheiro com mais liberdade, movidas pelo simples desejo de aproveitar ao máximo antes que seja tarde demais. Mas o que costuma acontecer é o contrário. Em geral, os gastos das famílias nos Estados Unidos diminuem à medida que as pessoas ficam mais velhas. Por exemplo, a Pesquisa de Despesas do Consumidor, realizada pelo Departamento de Estatísticas do Trabalho, mostrou que, em 2017, a despesa média anual das famílias chefiadas por pessoas entre os 55 e os 64 anos foi de 65 mil dólares, com o gasto médio caindo para 55 mil no grupo de pessoas entre 65 e 74 anos, e sendo reduzidos para 42 mil entre aqueles com 75 anos ou mais.[10] Essa redução geral acontece *apesar* do aumento nas despesas de saúde, porque a maioria das outras despesas, tais como vestuário e entretenimento, se tornam muito mais baixas. O declínio nos gastos ao longo do tempo fica ainda mais acentuado para os aposentados com mais de 1 milhão de dólares em patrimônio, de acordo com outro estudo conduzido pela consultoria J.P. Morgan, que analisou dados de mais de meio milhão de clientes.[11]

Muitos consultores financeiros estão familiarizados com esse padrão. Em sites que oferecem conselhos sobre aposentadoria, são muitas as referências aos anos de "desaceleração" e de "restrição". Mas a mensagem de que os anos para acelerar acabam rápido parece não ter atingido o público em geral. E se você não estiver consciente desse padrão bastante previsível, é provável que espere (de forma equivocada) que os gastos em experiências a partir do dia da sua aposentadoria até o dia da sua morte sejam constantes. Esse é um dos motivos pelos quais você pode acabar economizando demais e gastando de menos.

Cautela excessiva

Mas há outra razão, mais intencional, pela qual as pessoas costumam poupar demais e gastar muito pouco, deixando dinheiro para trás ao morrer. Algumas pessoas nunca planejaram gastar todo o dinheiro em experiências de vida; seu plano era economizar para despesas imprevistas da velhice, especialmente despesas médicas. Não se trata apenas do declínio natural da saúde com o avanço da idade, que por si só cria despesas médicas mais elevadas no fim da vida. Acontece também que essas despesas na prática são difíceis de serem previstas: você vai precisar de uma cirurgia de ponte de safena tripla ou de anos de tratamento para o câncer? Ou quem sabe passar anos em uma casa de repouso?

Em teoria, é para isso que serve o plano de saúde: para proteger contra qualquer adversidade que possa acontecer. Mas mesmo as pessoas com plano às vezes enfrentam contas médicas altas. Isso pode ocorrer devido a franquias altas ou coparticipações no custo de medicamentos, ou apenas porque a seguradora, por algum motivo, se nega a cobrir os gastos. Como a maioria das pessoas deseja permanecer viva depois de adoecer, é natural e razoável economizar para cuidados médicos. E como os custos desses cuidados são incertos, as pessoas tendem a poupar ainda mais.[12]

No entanto, mesmo depois de levar em conta essa incerteza em relação aos custos, muita gente *ainda* segue poupando de forma exagerada.¹³ Para mim, isso é como investir em algo sem sentido, como comprar um seguro contra invasão de robôs alienígenas. Ou seja, supondo que haja uma possibilidade muito pequena de que robôs alienígenas invadam o planeta e causem estragos em nossas vidas, isso significa que você deveria construir um abrigo especial para se proteger? Prefiro arriscar e usar o dinheiro em algo mais útil e agradável.

Poupar dinheiro como forma de se planejar em relação aos custos com saúde é muito parecido com isso, embora seja verdade que é muito mais provável você precisar de cuidados médicos caros do que encontrar extraterrestres ultrainteligentes e armados até os dentes. Para ser franco, nenhuma poupança disponível para a maioria das pessoas vai cobrir os cuidados de saúde mais caros que elas possam necessitar. Por exemplo, alguns tratamentos oncológicos podem facilmente custar meio milhão de dólares por ano.

Ou, caso suas despesas médicas imediatas alcancem 50 mil dólares por noite (como aconteceu com a internação de meu pai em seus últimos dias), será que realmente importa se você economizou 10, 50 ou mesmo 250 mil dólares? Não, não importa, porque os 50 mil extras lhe darão uma noite extra, uma noite que pode muito bem ter levado um ano de trabalho para você poupar! Da mesma forma, 250 mil dólares economizados ao longo de muitos anos serão eliminados em cinco dias. Não estou sugerindo que você deva acumular grandes dívidas médicas pensando em dar calote no hospital. O que estou dizendo é que você não vai conseguir pagar para fugir dessas despesas altíssimas no fim da vida. Como elas são naturalmente elevadas para quem não tem plano de saúde, não fará qualquer diferença real para a maioria de nós se pouparmos ou não. Ou o governo pagará pelos custos, ou você vai morrer.

Mas digamos que você não faça parte da maioria das pessoas — digamos que você tenha milhões ou dezenas de milhões. E então? Mesmo que eu ganhe o suficiente para *poder* economizar para mais alguns meses de vida no hospital, não vejo lógica em fazer isso: há uma grande diferença entre viver uma vida e simplesmente ser mantido vivo, e eu prefiro investir em viver. Portanto, não vou trabalhar anos para economizar por mais alguns meses passando em um respirador, com qualidade de vida próxima de zero — ou, dependendo do nível de sofrimento, talvez até negativa. Portanto, em vez de investir em uma "poupança preventiva", como os economistas chamam, prefiro deixar as coisas acontecerem. Mais cedo ou mais tarde todos nós vamos morrer, e prefiro morrer quando chegar a hora certa a sacrificar meus melhores anos apenas para conseguir mais alguns dias no final. Ou, como gosto de dizer: "Nos vemos do outro lado!"

É muito mais inteligente gastar esse dinheiro no início da vida (para manter a saúde e tentar prevenir doenças) do que gastá-lo no final, quando seu retorno é muito menor por cada centavo gasto. Na verdade, muitas companhias de seguro-saúde cobrem exames e cuidados preventivos e também acreditam na economia de custos a longo prazo causada pela prevenção de doenças a ponto de pagarem para você fazer exames regulares e tomar outras medidas preventivas.[14] Você não será capaz de evitar todas as doenças possíveis, não importa o que faça, mas poderá tornar alguns problemas de saúde muito menos prováveis — e desfrutará de uma melhor qualidade de vida ao longo do caminho.

Pode parecer que estou incentivando você a concentrar todos os seus esforços na juventude sem considerar os acontecimentos comuns da velhice, mas isso seria uma distorção do que estou dizendo. Embora seja um grande erro sacrificar tanto a sua qualidade de vida agora por uma melhor qualidade de vida em idade avançada, compreendo o desejo de ser bem cuidado quando estivermos velhos e vulneráveis. Então, você se pergunta: como me certificar de que estarei seguro caso precise de cuidados de longo prazo, sem ter que economizar enormes quantias de um dinheiro que não será gasto caso esses cuidados contínuos não sejam necessários? Bem, nos Estados Unidos e em outros países como Alemanha, Japão e Coreia do Sul existe a opção do seguro de cuidados de longo prazo. Sugiro que você pesquise a modalidade similar em seu país e você verá que custa menos do que pensa, especialmente se você começar a pagar antes dos 65 anos.[15]

Existe um argumento mais geral que quero reforçar: para cada coisa com a qual você possa estar preocupado no seu futuro, existe um produto de seguro específico para isso. Isso não significa que eu recomendo comprar seguro para tudo: obviamente, seguros custam caro. Mas o fato de as seguradoras estarem dispostas a vender seguros para vários riscos mostra que quase todos eles podem ser quantificados — e evitados para quem não quer corrê-los.

Neste capítulo, tentei mostrar por que morrer sem nada é uma meta válida — uma forma de evitar um grande desperdício de energia vital. Mas e em relação a *como* fazer isso? Se você é como a maioria das pessoas, ainda tem dúvidas sobre a viabilidade de realmente atingir essa meta, principalmente por conta da incerteza em relação ao tempo de vida que ainda tem. O *como* fazer é o assunto do próximo capítulo.

Recomendações

- Se você ainda está preocupado e resistente à ideia de morrer sem nada, tente analisar mais profundamente de onde pode vir esse bloqueio.
- Se você ama o que faz e adora trabalhar todos os dias, identifique maneiras de gastar seu dinheiro em atividades que se ajustem à sua realidade.

4

COMO GASTAR SEU DINHEIRO (SEM CHEGAR DE FATO A ZERO ANTES DE MORRER)

Regra número 4:
Use todas as ferramentas disponíveis
para morrer sem nada

Se você chegou até aqui, presumo que concorde que tentar morrer sem nada é uma boa ideia, pelo menos em tese. Mas tenho quase certeza de que permanece cético quanto à viabilidade de atingir essa meta.

E você tem razão em ser cético. Na verdade, morrer com *exatamente* zero é uma meta impossível. Para conseguir isso, seria necessário saber exatamente quando você vai morrer — mas nenhum de nós é Deus, então não temos como saber o dia exato de nossa morte.

Ainda assim, não saber a data *exata* não significa que não possamos chegar perto desse cálculo. Vou explicar. Você já usou uma calculadora de expectativa de vida? Muitas seguradoras oferecem essa ferramenta de forma gratuita em seus sites, e acho que é válido experimentar. É claro que essas calculadoras não são 100% precisas, mas oferecem uma boa estimativa com base em dados como idade atual, sexo, altura e peso (como está o seu IMC?), tabagismo, padrões de consumo de álcool e outros preditores importantes da saúde geral. Algumas também perguntam sobre seu histórico familiar e se você usa cinto de segurança. Depois de responder a todas as perguntas, a calculadora normalmente fornece um número: você viverá até os 94 anos! (Ou até os 55, caso você não perca 40 quilos e não pare de beber e fumar feito um pirata.)

Tentar descobrir até quando você vai viver pode até não ser sua ideia de diversão. Sei que, para muitas pessoas, planejar o próprio funeral e fazer uma lista de beneficiários em um formulário de seguro de vida parece meio mórbido, e tudo bem. Você não precisa gostar para que valha a pena ser feito. Se você não quiser usar uma calculadora de expectativa de vida, tudo bem também, mas não venha me dizer que você não faz ideia de quanto tempo ainda vai viver, nem use isso como desculpa para economizar dinheiro como se fosse chegar aos 150 anos.

Qualquer que seja o número mostrado pela calculadora, trata-se apenas de uma estimativa obtida por atuários, como são chamados os especialistas contratados pelas seguradoras para prever o risco com base em estatísticas relevantes. Você pode considerar o número apenas um palpite baseado na vida pregressa de pessoas que têm estilos de vida parecidos com o seu. Muitas pessoas como você morreram mais jovens do que a média, e muitas morreram mais velhas. Portanto, há uma média e também um intervalo. Para refletir essa realidade, algumas calculadoras apresentam os seus resultados em termos de probabilidade. Elas podem dizer, por exemplo, que você tem 50% de chance de viver até os 92 anos, 10% de chance de viver até os 100 anos, e assim por diante. Essas probabilidades mostram que prever a expectativa de vida de um indivíduo é uma ciência inexata. Mas conhecer apenas a provável taxa de sobrevivência até uma determinada idade ainda é melhor do que não saber nada, certo? Se você não tem ideia de quando vai morrer, não será capaz de tomar decisões que estejam sequer perto do ideal. Isso significa que se você for do tipo cauteloso, vai ficar apenas economizando e gastando como se esperasse viver até os 150. E você pode até agir como se esperasse viver para sempre, como aquelas pessoas que nunca usam seu capital e vivem apenas dos juros recebidos. Resultado: você vai morrer com muito, muito mais do que zero — o que significa que terá desperdiçado muitas horas de sua energia vital ganhando um dinheiro de que nunca vai conseguir desfrutar.

Saber pelo menos de forma aproximada quando você vai morrer irá ajudá-lo a tomar decisões muito melhores sobre como ganhar, economizar e gastar. Então eu recomendo: vá em frente e experimente uma calculadora de expectativa de vida. Você deve estar se perguntando qual calculadora específica usar. Repassei essa questão à Sociedade dos Atuários dos Estados Unidos, que são os verdadeiros especialistas no assunto. Eles preferiram não indicar uma calculadora específica, mas uma ferramenta muito acessível: o Actuaries Longevity Illustrator (http://www.longevityillustrator.org/). Com base nas respostas a apenas algumas perguntas (em inglês), a ferramenta produz um gráfico que mostra as suas probabilidades de morrer em diferentes idades. O objetivo é mostrar o risco de viver além dos recursos que você possui — mas, olhando para os extremos do gráfico, é possível ver quão baixa é a probabilidade de você viver além de uma certa idade.

Outra abordagem possível é perguntar ao seu corretor de seguros, e muitas seguradoras que vendem seguros de vida oferecem calculadoras online gratuitas para qualquer pessoa usar.

Caso queira obter uma estimativa mais precisa de sua expectativa de vida com base em mais aspectos de sua saúde, você vai precisar responder a mais perguntas sobre saúde e estilo de vida. Uma ferramenta útil é a calculadora Living To 100 (https://www.livingto100.com, em inglês), desenvolvida por um médico e pesquisador que estuda casos excepcionais de longevidade.

O que você descobriu depois de experimentar algumas dessas ferramentas? Se você tentou várias calculadoras, quão consistentes foram os resultados? É provável que você morra mais tarde do que pensava? Você está pensando em mudar seu estilo de vida ou ver o que acontece se você repetir o cálculo em alguns anos? Todas essas são boas perguntas, e pensar nelas é o primeiro passo para otimizar seus gastos.

Mas como? Já que queremos morrer sem nada, e dado que é impossível atingir exatamente zero, como chegar perto disso? Como lidar com toda a variabilidade da extensão da vida humana?

O primeiro ponto a enfrentar é a incerteza. A possibilidade de se viver mais do que se espera chama-se *risco de longevidade*. Ninguém quer morrer cedo — essa possibilidade chama-se *risco de mortalidade* —, mas também ninguém quer morrer depois do seu dinheiro acabar. (Sem dinheiro, sua qualidade de vida vai sofrer uma queda drástica, para dizer o mínimo.) Portanto, há incerteza em ambos os lados de nossa expectativa de vida, e queremos saber como lidar com as consequências financeiras negativas dessa incerteza.

Como disse, existem produtos financeiros para isso. Meu objetivo está longe de ser promovê-los, e com certeza não quero entrar em seus detalhes (nos quais não sou especialista), mas existem alguns elementos básicos que você precisa entender antes de decidir que morrer sem nada não é a melhor escolha para você. E não preciso ser um consultor financeiro para lhe dizer quais são esses elementos básicos, bem como não preciso ser mecânico para dizer que, se você decidir cruzar o país, vai precisar de um bom carro.

Você não é um bom corretor de seguros!

Você provavelmente já conhece o produto financeiro utilizado para lidar com o risco de mortalidade e de morrer precocemente. Trata-se do seguro de vida, é claro. As companhias de seguros de vida não sabem exatamente quando você vai morrer, assim como você também não sabe, mas, mesmo assim, elas se propõem a pagar o devido valor aos seus beneficiários quando isso acontece. As seguradoras podem fazer isso com grande margem de segurança, porque outros milhões de pessoas estão segurados simultaneamente. Alguns destes segurados morrerão mais cedo do que a média, mas outros morrerão mais tarde, fazendo os "erros" de cálculo em ambos os lados se anularem mutuamente. Isso significa que uma seguradora não precisa saber quando você vai morrer, basta que tenha dados suficientes sobre a expectativa de vida do seu conjunto total de segurados para ter certeza de que pode arcar com os custos e ainda ter lucro na operação geral.

Essa capacidade de agrupar os riscos entre um grande número de pessoas é o que dá às companhias de seguros uma vantagem sobre você enquanto indivíduo. É por isso que as pessoas estão dispostas a pagar para comprar seguros de todos os tipos, em vez de tentarem se proteger do risco por conta própria. *Ninguém é um bom corretor de seguros.*

O seguro de vida é uma ferramenta que nos ajuda a lidar com o risco de mortalidade. Os dados mostram que 60% dos norte-americanos possuem pelo menos algum seguro de vida.[1] O que poucas pessoas percebem é que também existem produtos financeiros concebidos para lidar com o risco de longevidade. Como muitas pessoas têm medo de ficar sem dinheiro antes de falecer, existe um produto sobre o qual elas deveriam realmente começar a pensar. Esses produtos são chamados de *previdência privada*. Eles são essencialmente o oposto do seguro de vida: quando você compra um seguro de vida, você gasta dinheiro para proteger sua família contra o risco de você morrer muito jovem, enquanto a previdência privada protege você contra o risco de morrer muito velho (ou viver mais do que a sua poupança).

Se você não quiser ouvir isso de mim, ouça Ron Lieber, que escreve a coluna "Your Money" no *New York Times*. "As companhias de seguros que oferecem previdências privadas muitas vezes as fazem soar como um investimento", escreveu numa explicação recente sobre o produto. "Mas, na verdade, elas são mais como seguros mesmo." Lieber continuou: "Assim como o seguro para evitar desastres financeiros, uma previdência privada é algo que você compra para garantir que não ficará sem dinheiro caso viva por muito tempo."[2]

Na verdade, pensar na previdência privada como um seguro faz muito mais sentido do que pensar nela como um investimento, já que, desta forma, ela não é nada boa. Esse não é o objetivo do produto: seu objetivo é protegê-lo contra o risco de viver mais que o seu dinheiro.

Como isso é possível? Bem, ao comprar um seguro desse tipo significa que você dá à seguradora uma quantia fixa — digamos, 500 mil dólares aos 60 anos — e em troca você recebe um pagamento mensal garantido (por exemplo, 2.400 dólares por mês) para o resto da vida, não importa o quanto você viva. Como todos os seguros, as anuidades não são de graça — as seguradoras precisam ganhar dinheiro para seguir operando, não é mesmo? —, mas se o seu objetivo é maximizar as experiências de vida que você pode comprar com o dinheiro que ganhou, elas são uma solução muito sensata. Isso se deve em parte porque, mesmo após descontar as taxas da seguradora, você vai receber uma remuneração mensal maior do que provavelmente estaria disposto a pagar a si mesmo caso quisesse garantir que seu dinheiro não acabe antes de você morrer. Por exemplo, uma regra prática comum para gastos com aposentadoria é a "regra dos 4%", segundo a qual você consome 4% de suas economias a cada ano de aposentadoria. Com uma previdência privada, é provável que seus recebimentos anuais fiquem acima dos 4% do valor que você investiu no seguro e, ao contrário das retiradas de 4%, esses pagamentos têm a garantia de prosseguir durante o resto da vida.

A razão pela qual a seguradora pode oferecer uma taxa de retorno estável e razoavelmente alta é que você não está deixando nenhum dinheiro na mesa. Você renuncia ao seu montante principal para sempre. Em caso extremo — se você morrer no dia seguinte à compra do título de previdência privada —, você não verá mais o dinheiro que investiu e, em vez disso, ele será revertido para os pagamentos mensais de algum sortudo desconhecido (outro segurado pela anuidade) que vai viver até os 90 e tantos anos. Sem uma anuidade, por outro lado, você é forçado a fazer um autosseguro, ou seja, a ser seu próprio corretor de seguros. E essa não é uma boa ideia porque, ao contrário dos profissionais que fazem corretagem para grandes empresas, você não tem a capacidade de agrupar riscos e compensar erros de cálculo de ambos os lados. Para ter segurança financeira até o fim da vida, você precisará fazer um grande pé-de-meia para usar no pior cenário possível: como terá que economizar demais, é mais provável que você acabe deixando um dinheiro considerável de sobra ao morrer. Ou seja, trabalhará por anos ganhando um dinheiro que nunca conseguirá aproveitar. Bancando o corretor de seguros, você não está nem perto de maximizar sua vida. Repito: ninguém é um bom corretor de seguros!

Economistas costumam considerar a previdência privada uma forma tão racional de lidar com o risco de longevidade que há muito tempo eles se perguntam por que ela é usada por tão pouca gente. Uma questão que os economistas chamam de "o enigma da anuidade".[3]

Estou dizendo para você investir todas as suas economias nesse tipo de seguro? É claro que não. O que estou dizendo é que existem soluções para o problema de como morrer sem nada sem ficar sem dinheiro, e você estaria prestando um péssimo serviço a si mesmo se pelo menos não pesquisasse a respeito.

De novo, lembre-se de que o objetivo é eliminar o máximo de desperdício possível. Quão perto você chega dessa meta depende de sua própria tolerância ao risco. Se for muito baixa — o que significa não aceitar nem mesmo uma pequena chance de viver mais que o seu dinheiro —, você pode fazer uma previdência privada ou um pé-de-meia enorme. As chances de você viver até os 123 anos hoje em dia são muito baixas. (A pessoa mais velha já registrada morreu quando tinha 122 anos e 164 dias.) Mas se você for extremamente avesso ao risco, deixará uma poupança grande o suficiente para durar até os seus 123 anos.

Por outro lado, se você se sente confortável vivendo no limite, não precisa deste livro, porque provavelmente já está no caminho certo para morrer sem nada. Bem, na verdade, não — você ainda precisa deste livro, porque quando você vive perigosamente perto do limite, corre o risco de viver mais que o seu dinheiro. Em geral, porém, quanto maior for a sua tolerância ao risco de longevidade, de menos reservas você precisará. Quanto mais riscos você estiver disposto a correr, mais provável é que desperdice menos energia vital trabalhando por um dinheiro que nunca vai conseguir gastar.

Por exemplo, suponha que sua expectativa de vida seja de 85 anos, mas você aceite uma margem de erro de 5% a 6%. Nesse caso, você pode decidir economizar por mais alguns anos, o suficiente para durar até os 90, por exemplo. Mas se você não quiser ter desperdiçado cinco anos de economias no caso de morrer como esperado aos 85, você pode eliminar esse desperdício (e viver um pouco melhor até lá) economizando um pouco menos, desde que esteja de acordo com o risco.

Não estou dizendo qual é o caminho certo: a tolerância ao risco é uma preferência singular e pessoal. Mas quero que você saiba que existe uma grande diferença entre pensar sobre sua tolerância ao risco e agir com base no mesmo apenas. Não há problema em analisar a sua expectativa de vida, considerar a sua tolerância ao risco e fazer as contas para descobrir quantos anos de poupança você precisa manter. O que é bem melhor do que ficar tão em pânico com a ideia de que seu dinheiro acabe antes — ou de morrer — que você evite até olhar para os números. Quem vive em negação acaba desperdiçando dinheiro, ou economizando tanto que vai deixar para trás muitos e muitos anos de esforço acumulado. Ou seja, você terá vivido como um verdadeiro escravo de seus próprios medos.

Que problema você está resolvendo?

Um aviso: previdências privadas podem ser bastante complexas, tanto que existem livros inteiros sobre elas. Para começar, existem vários tipos. Além disso, dependendo de uma série de fatores — tais como sua idade e saúde, seu total de poupança e sua tolerância ao risco —, talvez seja melhor ignorá-las completamente e utilizar uma combinação de investimentos de aposentadoria, entre os quais a previdência privada é apenas um tipo.

Consultores financeiros podem ajudar você a resolver essas coisas (não o culpo por não querer ler um livro sobre previdência privada!), mas não dá para ignorar por completo o assunto. Além do mais, é preciso deixar claro o que você quer que o consultor faça. Primeiro, é preciso entender que alguns deles não querem falar especificamente sobre esse tipo de solução: se o seu consultor recebe uma porcentagem do que os profissionais financeiros chamam de "ativos sob gestão", o incentivo deles é acumular esses ativos. A última coisa que eles querem é que você retire todo o seu dinheiro do portfólio que gerenciam para você. Afinal, para eles, a previdência privada é um concorrente.

Mas vamos supor que você esteja trabalhando com um consultor que cobra apenas honorários, alguém a quem você paga uma taxa fixa para oferecer aconselhamento financeiro. Esse tipo de profissional não tem motivos para evitar a previdência privada e também não recebe comissões pela venda delas. Ótimo. Sem conflitos de interesse em nenhum dos lados. Seu consultor pode fazer por você a ginástica mental necessária para criar um plano, mas lembre-se que primeiro você precisa dizer claramente qual é o seu objetivo, qual problema está tentando resolver. Se você tiver problemas com o telhado, não dá para chamar o encanador. Da mesma forma, o seu consultor financeiro pode ser ótimo para escolher ações na bolsa, mas isso só será útil se o problema a ser resolvido for fazer você ficar o mais rico possível. Nós, por outro lado, estamos focados em fazer você aproveitar sua vida ao máximo.

Deixe-me repetir: *estamos focados em fazer você aproveitar sua vida ao máximo.*

Ou seja, a premissa deste livro é que você deve se concentrar em maximizar o proveito de sua vida, em vez de maximizar sua riqueza. São dois objetivos muito diferentes. O dinheiro é apenas um meio para um fim. Tê-lo ajuda a atingir o objetivo mais importante, que é aproveitar a vida. Mas tentar maximizar o dinheiro, na prática, atrapalha na busca do objetivo mais importante.

Portanto, sempre tenha esse objetivo final em mente. Faça do "aproveitar a vida ao máximo" o seu mantra, e faça uso dele para orientar todas as decisões, incluindo no que focar com seu consultor financeiro. Se você explicar que está tentando aproveitar ao máximo suas economias sem viver além da sua poupança, ele poderá ajudá-lo a criar um plano para tornar isso realidade.

Neste capítulo, me concentrei na parte do plano sobre como evitar ficar sem dinheiro e como não gastar mais do que você guardou. Mas é claro que isso é apenas metade da questão de como morrer sem nada. A outra é como não desperdiçar sua energia vital gastando menos do que deve. Então, qual seria o plano para gastar seu dinheiro e não morrer com sobras de bens e uma pilha de arrependimentos? Na linguagem dos consultores financeiros, como planejar para "desacumular" o dinheiro que você acumulou ao longo dos anos? Minha resposta completa a essa pergunta está no Capítulo 8, mas me permita fazer uma pequena prévia aqui. Tudo começa monitorando sua saúde, para que você saiba quando começar a gastar mais do que ganha (quando começar a montar seu pé-de-meia). Também significa saber a data projetada da sua morte e qual o seu custo anual apenas para sobreviver, porque, juntos, esses dois números são a quantia mínima de que você precisará entre hoje e o fim da sua vida.

Todas as suas economias além dessa quantia são dinheiro que você deve gastar de forma agressiva em experiências de que gosta. Digo "agressiva" porque o declínio da sua saúde e a diminuição dos seus interesses enxugarão sua lista de atividades, o que significa que a sua taxa de gastos não vai permanecer constante: se você quiser morrer sem nada e tirar o máximo proveito da saúde que tem em todos os momentos da sua vida, será preciso gastar mais aos 50 anos do que aos 60, e mais aos 60 do que aos 70, sem falar nos 80 e 90! O Capítulo 8 explica melhor essas ideias e traz ferramentas para implementá-las, sozinho ou com a ajuda de um consultor financeiro.

Contagem regressiva

Como todas as criaturas vivas, os humanos evoluíram para sobreviver. É claro que queremos fazer mais do que apenas sobreviver. Por exemplo, tenho certeza de que se eu perguntasse se você deseja somente sobreviver ou prosperar de verdade, você escolheria prosperar. Porém, nossa biologia é tal que os esforços para viver a melhor vida possível muitas vezes não surgem de forma tão natural ou tão forte quanto o instinto básico de sobrevivência. Evitar a morte é a nossa prioridade número um, e esse único objetivo supera todo o resto. Meu amigo Cooper Richey expressou isso muito bem quando disse: "O cérebro humano está programado para ser irracional em relação à morte." As pessoas evitam o assunto, comportam-se como se ela nunca fosse acontecer, e muitas não se planejam para ela. A morte é apenas uma espécie de data misteriosa no futuro, o momento derradeiro.

Esse tipo de negação absoluta explica por que tantas pessoas estão dispostas a gastar dezenas ou mesmo centenas de milhares de dólares para prolongar a vida por apenas mais algumas semanas.

Pense nisto: é um dinheiro pelo qual essas pessoas passaram anos ou décadas trabalhando duro. Elas abriram mão de anos de suas vidas enquanto estavam *saudáveis e cheias de vida* para comprar algumas semanas extras de vida para quando estiverem *enfermas e debilitadas*. Se isso não é a coisa mais irracional do mundo, não sei nem o que é!

É verdade que o dinheiro não tem absolutamente nenhum valor para nós quando estamos mortos (por isso que digo que deveríamos morrer sem nada). Não é nem um pouco irracional gastarmos todo o dinheiro restante para prolongar um pouco a vida. Nesse ponto, é tudo ou nada. Como escreveu um trio de economistas de alto nível: "Uma grande quantidade de gastos em cuidados inúteis faz sentido quando não há valor em deixar sua riqueza para trás."[4]

Mas essa afirmação só é verdadeira se você não fez nenhum planejamento e está tentando fazer o melhor possível em uma situação ruim. E por que você chegaria a essa situação ruim? Não de propósito, isso é certo. Você nunca chegaria a esse ponto se pensasse de forma racional com *antecedência* e fizesse planos quando sua saúde estivesse boa. Um *plano* para gastar uma grande parte de sua riqueza durante as últimas semanas de vida não faz sentido nenhum.

O problema é justamente esse: as pessoas são irracionais em relação à morte, mesmo quando não estão perto dela. É por isso que elas têm um medo enorme de ficar sem dinheiro antes de morrerem, um medo grande o suficiente para obrigar muita gente a poupar de forma exagerada para um futuro distante e, como resultado, não ser capaz de aproveitar o presente tanto quanto poderiam.

Como chega para todos, a data de nossa morte, mesmo em um momento futuro, *deveria* influenciar nosso comportamento presente. Pense nisso um passo de cada vez, começando pelo caso mais extremo: se você soubesse que iria morrer amanhã, seu comportamento e suas atividades hoje obviamente mudariam, talvez até dando uma guinada de 180 graus. Agora vamos mais devagar: se você estivesse a dois dias da morte, seu comportamento e suas atividades mudariam de maneira um pouco diferente, mas ainda seriam drasticamente diferentes do que se você tivesse mais 50 ou 75 anos de vida. Agora pense em como seu comportamento mudaria se você soubesse que faltam três dias para sua morte. E se você tivesse 365 dias? Agora imagine repetir esse processo até chegar a 14 mil dias, ou 25 mil dias, ou qualquer número real de dias que você provavelmente tenha. Observe como essa linha de raciocínio se estende até a verdadeira data de sua morte, e como seus planos vão mudando de acordo com isso.

Perceba também que *não* estou dizendo que você deveria viver hoje como se fosse seu último dia. Sempre temos que equilibrar a vida no presente com o planejamento para o futuro, e o equilíbrio se inclina gradualmente à medida que você projeta a data da sua morte: quanto mais próxima ela estiver, mais urgência você precisa ter, e quanto mais longe ela estiver, mais você pode e deve planejar o futuro. Mas se não conseguirmos olhar para a data da nossa morte, agimos como se fôssemos viver para sempre, e então não há forma de chegarmos nem perto de um equilíbrio ideal.

Ao mesmo tempo, a ideia da morte pode causar angústia e é por isso que muitos de nós evitamos pensar nela e agimos como se esse dia nunca fosse chegar. Continuamos adiando experiências maravilhosas, como se em nosso último mês pudéssemos facilmente incluir todas aquelas experiências que adiamos durante a vida. Não é preciso dizer que isso é impossível e, portanto, totalmente irracional.

Eu sei que pode parecer mórbido e criar um certo desconforto, mas a verdade é que comecei a usar um aplicativo chamado Final Countdown, que faz a contagem regressiva dos dias[5] (anos, meses, semanas e assim por diante) até a data estimada de minha morte, e eu tenho incentivado todos os meus amigos a usarem também. Sim, entendo que isso pode causar certa tensão, mas a lembrança da morte traz um sentido de urgência muito necessário à vida de uma pessoa.

Ao ver quantas semanas me restam, por exemplo, lembro de quantos (ou quão poucos) fins de semana ainda tenho. Ver o número de anos me lembra que só tenho alguns Natais para aproveitar, ou alguns verões ou outonos. E esses lembretes escancarados mudaram meus pensamentos e as coisas que faço, as pessoas que procuro, a frequência com que digo às pessoas que as amo. A contagem regressiva me torna um adversário melhor na luta contra os instintos do piloto automático. A morte, é claro, existe. Na verdade, como vou explicar num capítulo mais adiante, todos nós morremos mil mortes antes da nossa morte definitiva. E um aplicativo como o Final Countdown é uma ferramenta que pode nos ajudar a viver uma vida mais consciente desse fato.

Morrer sem nada não é apenas uma questão de dinheiro: é também uma questão de tempo. Comece a pensar mais sobre como você usa esse recurso tão limitado, sua energia vital, e você estará no caminho certo para viver a vida mais plena possível.

Recomendação

Se você fica angustiado com a possibilidade de ficar sem dinheiro antes de morrer, pesquise mais a fundo sobre a previdência privada. Ela pode ser uma solução viável.

5

E QUANTO AOS FILHOS?

Regra número 5:
Dê dinheiro aos seus filhos ou às instituições filantrópicas no momento em que isso tiver o maior impacto

Cada vez que falo sobre morrer sem nada, recebo alguma versão da mesma pergunta: mas e meus filhos? Essa pergunta sempre surge, invariavelmente, não importa com quem eu fale.

Algumas variações chegam a carregar um tom de superioridade moral e de autossacrifício. Algumas pessoas chegam a me dizer: "Bem, isso é o que diria alguém que não tem filhos." E mesmo quando essas pessoas descobrem que eu *tenho* filhos — duas filhas —, algumas ainda insinuam que morrer sem nada é um ato definitivamente egoísta. Não importa a forma com que dizem, o que a maioria das pessoas que toca nesse tópico quer dizer é o seguinte: planejar morrer sem nada pode ser bom para alguém que só pensa em si, mas não deveríamos nos preocupar também com o bem-estar de nossos filhos? Porque se você se importasse com alguém além de você, certamente não morreria zerado. Você faria questão de deixar dinheiro para essas outras pessoas. A conclusão que as pessoas tiram é a seguinte: se morrer sem nada é uma filosofia apenas para canalhas egoístas, então não pode ser a filosofia certa para pessoas decentes e atenciosas como elas.

Essa é a atitude de superioridade moral que recebo de muita gente. Tenho zero paciência, porque é de uma hipocrisia enorme. Muitas vezes essas pessoas que argumentam contra o método não estão de fato colocando os filhos em primeiro lugar, mas, na verdade, usando-os como uma desculpa atrasada. Por que eu digo isso? Bem, vou dar um exemplo de uma conversa recorrente com meus amigos mais próximos.

Quando um desses bons amigos faz esta pergunta inevitável — "Mas e meus filhos?" —, primeiro explico que o dinheiro que você está deixando para os seus filhos *não* é o *seu* dinheiro. Então, quando digo que você deveria morrer sem nada, não estou dizendo: morra sem nada e gaste todo o dinheiro dos seus filhos no caminho. Estou dizendo: gaste todo o dinheiro que for exclusivamente *seu*.

Ou seja: dê aos seus filhos tudo o que você reservou para eles antes de morrer. Por que esperar até a hora de partir?

Lembre-se, essas são conversas que tenho com meus amigos mais próximos, e sempre apontamos as incoerências uns dos outros. Costumo ser bem direto com eles: "Vocês estão falando besteira! Onde está esse fundo de reserva para seus filhos? Qual o valor que está definido? Quando vai distribuir a grana? *Você já* pensou nessas coisas ou só *está* repetindo o que alguém disse?"

Entende o que estou dizendo? Se você está mesmo colocando seus filhos em primeiro lugar, como afirma, não espere até morrer para demonstrar sua generosidade. (Gosto de dizer que pessoas mortas não são capazes de dar dinheiro. Elas não são capazes de fazer nada.) Colocar seus filhos em primeiro lugar significa doar a eles *muito antes*, significa fazer um plano pensado para garantir que o que você reservou para eles seja repassado no momento em que fizer maior diferença. Um verdadeiro plano para morrer sem nada inclui os filhos, se você os tiver. Dessa forma, você já terá separado o dinheiro deles (que, a partir desse momento, se torna intocável para você) do *seu* dinheiro, que é justamente o que deve ser gasto até zero. Essa é minha resposta curta à pergunta sobre os filhos. O restante deste capítulo oferece a versão completa.

Morrer para doar o dinheiro: o problema das heranças

Quando as pessoas trazem o argumento dos filhos, o que elas também estão querendo dizer é que uma pessoa que planeje morrer zerada não vai deixar um legado; ou seja, seus filhos não receberão herança, o que é péssimo para eles. O mais louco é que muitas vezes essas são as mesmas pessoas que dizem que você deve economizar o máximo que puder para a aposentadoria, porque não sabe quando vai morrer. Bem, se você não sabe quando vai morrer e se preocupa tanto com seus filhos, por que quer esperar até aquela data aleatória para que seus filhos consigam o que você deseja que eles tenham? Na verdade, o que faz você ter tanta certeza de que todos os seus filhos estarão vivos quando você morrer?

Este é o problema da herança: agir com base nela deixa muita coisa ao acaso. Lembre-se de que a vida pode ser extremamente imprevisível. Seja qual for o valor que você está passando adiante, é preciso muita sorte para que ele chegue no momento exato em que cada um dos destinatários mais precisa do dinheiro. O mais provável é que a soma chegue tarde demais para fazer a maior diferença possível na qualidade de vida de quem a recebe.

Qual você acha que é a idade mais comum em que as pessoas recebem uma herança? Bem, o Conselho do Federal Reserve acompanha esses dados nos Estados Unidos e eis o que eles descobriram: em qualquer grupo de renda observado, a idade do "recebimento de herança" atinge o pico em torno dos 60 anos.[1] Em outras palavras, se você quisesse apostar na idade que as pessoas terão quando herdarem algum dinheiro — supondo que você não saiba mais nada a seu respeito, exceto que vão receber uma herança —, 60 anos é sua melhor aposta. (O relatório aponta que isso é um resultado natural dos fatos de que a expectativa de vida mais comum gira em torno de 80 anos e que a diferença de idade mais comum entre pais e filhos é de vinte anos.)

É claro que há uma variação em torno desse pico dos 60 anos. Muita gente recebe herança antes disso, e muita gente, mais tarde. No geral, os dados seguem uma distribuição mais ou menos normal (em forma de sino). Portanto, para cada cem pessoas que herdam por volta dos 40 anos (que é vinte anos antes da idade de pico das heranças), há cem que herdam por volta dos 80! É verdade que algumas pessoas podem estar recebendo heranças de outras pessoas que não os seus pais — quanto mais velhos forem os herdeiros, maior será a probabilidade de que este seja o caso. Mas isso não importa. Quer recebam heranças dos pais ou de outra pessoa, os dados mostram claramente que as heranças em geral chegam em uma época tardia da vida, e isso não é o ideal.

Isso tudo significa que, se você esperar sua morte para que seus filhos herdem seu dinheiro, você estará deixando o resultado ao acaso. Eu chamo isso de *três As* — dar quantias *aleatórias* de dinheiro em um momento *aleatório* para pessoas *aleatórias* (porque quem sabe quais dos seus herdeiros ainda estarão vivos quando você morrer?). Como confiar nessa aleatoriedade pode ser o mesmo que se importar? Para mim, é exatamente o oposto: aceitar deixar todos esses desfechos ao acaso significa que você não se importa em passar anos da sua vida trabalhando para pessoas aleatórias no futuro, e que você talvez não se importe com quanto ou quando as pessoas mais próximas a você receberão, de fato, os frutos do seu esforço. Na verdade, ao deixar todas essas coisas ao acaso, você está até aumentando as chances de que tudo o que você tem a oferecer chegue tarde demais para trazer benefícios reais à vida dos seus filhos.

Probabilidade de recebimento de herança por grupo de renda

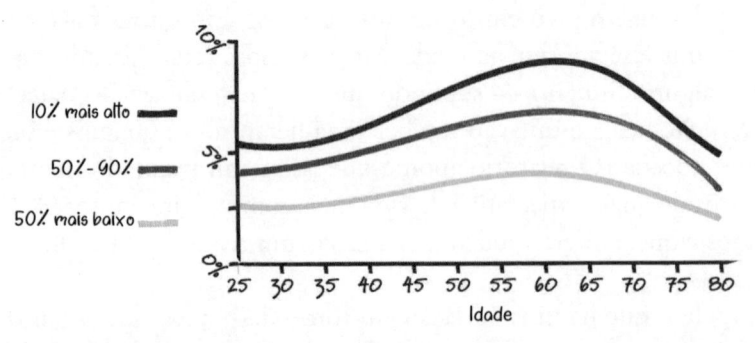

Para todos os grupos de renda, a probabilidade de receber uma herança é mais elevada por volta dos 60 anos (2013–2016).

Minha colega Marina Krakovsky, que me ajudou na pesquisa e na escrita deste livro, leu um artigo sobre uma mulher que estava tendo dificuldades financeiras, embora sua mãe tivesse muitos recursos.[2] Marina localizou a mulher e aqui está o que ela descobriu:

> Por muitos anos após o divórcio, Virginia Colin viveu com dificuldades financeiras.[3] Quase sem receber pensão alimentícia do ex-marido, criou sozinha os quatro filhos, "geralmente no limite da pobreza", como ela diz. Virginia acabou se casando novamente, conseguiu manter um emprego decente de meio período e, em dado momento, alcançou estabilidade financeira. Então, quando Virginia tinha 49 anos, sua mãe morreu, aos 76, deixando uma grande herança. Virginia é uma entre cinco filhos, e cada um recebeu 130 mil dólares. "Acho que 650 mil dólares era o máximo que se poderia herdar do patrimônio de uma pessoa sem incorrer em algum tipo de imposto sobre a herança", explicou Virginia, sugerindo que seus pais provavelmente acumularam ainda mais patrimônio do que o total transmitido para Virginia e seus irmãos.
>
> Os ganhos inesperados de 130 mil dólares com certeza foram bem-vindos, não há dúvida quanto a isso. "Mas teriam um valor muito maior se viessem bem antes", diz Virginia, que agora tem 68 anos. "Eu já não estava à beira da pobreza. Não éramos ricos, mas nesta altura vivíamos uma vida confortável de classe média baixa." O dinheiro então serviu mais como um belo bônus do que como a tábua de salvação que teria sido uma ou duas décadas antes.

Que situação triste: ali estava alguém que, durante muitos anos, mal tinha o suficiente para alimentar a si mesma e aos seus filhos, ao mesmo tempo que tinha pais com muito dinheiro, mas que, como tantos outros em nossa cultura, preferiram esperar até morrer para oferecer a ela.

Os pais de Virginia não estão mais entre nós, então só podemos especular o que diriam se me ouvissem falar sobre morrer sem nada. Se fossem como a maioria das pessoas com quem conversei, provavelmente diriam: "Mas e nossos filhos?"

Coloque seu dinheiro no que você diz valorizar

Sei que posso parecer insensível quando falo sobre essas coisas. Meu objetivo não é sair por aí chamando todo mundo de hipócrita. A maioria das pessoas tem boas intenções para si e para os filhos — e, se são hipócritas, não é intencionalmente. Elas só não conseguem agir de acordo com essas boas intenções. Isso é verdade sempre que você diz uma coisa, mas faz outra, seja essa desconexão proposital ou não. Por exemplo, no fundo do coração, você quer aproveitar seu tempo livre, mas na realidade gasta boa parte dele checando e-mails de trabalho. Ou você diz que quer oferecer segurança financeira para seus filhos, mas no final das contas deixa ao acaso a possibilidade e a quantia que seus filhos de fato receberão de você.

A mentalidade de morrer sem nada, por outro lado, garante que você cumpra com suas boas intenções. É uma abordagem mais cuidadosa em ambos os sentidos da palavra: mostra ao mesmo tempo seriedade e carinho. Quando se trata de filhos, a ideia de morrer sem nada demonstra consideração. Quando você pensa de forma planejada sobre quanto vai dar a eles, e executa isso antes de morrer, você está, sim, colocando-os em primeiro lugar.

Essa abordagem é radicalmente diferente da forma que tantas, se não a maioria, das pessoas nos Estados Unidos lidam com a questão de transmitir dinheiro aos filhos. Sim, algumas pessoas transferem dinheiro para os filhos em vez de esperar até a morte, só que essas transferências "in vivo" (entre os vivos), como dizem os economistas, constituem uma pequena minoria de todas as transferências de riqueza. A maioria — entre 80 e 90%, dependendo do ano — dos núcleos familiares que receberam algum tipo de transferência de riqueza entre 1989 e 2007 recebeu uma herança.[4] (Eu preferiria que a porcentagem fosse zero, mas, sendo realista, ficaria feliz com 20%, já que algumas pessoas morrem cedo.) E não está nada claro se as pessoas tinham mesmo a intenção de deixar tanto para seus herdeiros.

Economistas que estudam dados sobre heranças dizem que, quando as pessoas deixam dinheiro aos filhos e netos, observa-se um misto entre razões intencionais e não intencionais. A parte intencional é o que você dá porque quer que seus filhos tenham uma certa quantia de dinheiro. A parte não intencional é apenas um subproduto aleatório da poupança preventiva — alguém estava poupando dinheiro para despesas médicas inesperadas, por exemplo, mas acaba morrendo sem gastar toda essa poupança, e os herdeiros ficam com as sobras. Quando os economistas analisam os dados sobre essas heranças, é difícil dizer se cada uma foi especificamente intencional ou não.[5] Isso porque, no final das contas, os dois tipos de herança parecem iguais. Tudo o que você sabe é que uma pessoa viva recebeu certa quantia de dinheiro do patrimônio de uma pessoa morta.

Não se trata apenas do fato de economistas e os próprios herdeiros não saberem dizer o que é ou não intencional. O que me incomoda é que os próprios doadores não são muito claros a respeito. Digo isso porque, se houver clareza sobre suas intenções, você *não* vai misturar doações intencionais com não intencionais (sobras de poupança) em uma herança. Em vez disso, definirá o que deseja doar — e fará isso bem antes de morrer. Você quer que sua filha receba 50 mil dólares do seu patrimônio ou apenas 20 mil? Seja qual for a quantia, se sua intenção é realmente dar a ela, então encorajo você a agir de acordo fazendo isso *hoje*. Seja leal às suas intenções em relação aos seus filhos, assim como estou incentivando você a ser leal a si mesmo. Invista seu dinheiro naquilo que você diz valorizar.

Os inimigos do pensamento racional: piloto automático e medo

Por que tão poucas pessoas agem de forma mais estratégica quando se trata de filhos e presentes financeiros? Uma das razões é simplesmente o piloto automático, a antítese da ação pensada. Como eu já disse, usar o piloto automático é fácil, e é o que a maioria das pessoas ao seu redor está fazendo. Então, quando você simplesmente copia o que todo mundo está fazendo, você entra no piloto automático também, está seguindo o *status quo*. E o problema é que muitas vezes isso sequer está claro para você em nível consciente. A triste verdade é que muitas pessoas não são tão decididas quanto poderiam ser em relação às próprias vidas, então também não são tão decididas quanto poderiam ser em relação aos filhos.

Mas mesmo que você tenha parado para pensar de verdade sobre o que deseja para seus filhos e tenha a melhor das intenções, é preciso que supere outra força poderosa que se opõe ao pensamento racional e à ação deliberada: o medo. Foi exatamente isso que impediu os pais de Virginia Colin de compartilharem sua riqueza quando ela estava no limite da pobreza. "Meu pai era filho de imigrantes alemães, cresceu durante o período da Depressão", explicou Virginia, "então ele morria de medo de não ter dinheiro suficiente, mesmo quando já tinha acumulado mais do que o suficiente. E se acontecesse um problema de saúde? Alguma coisa séria e dispendiosa?"

No final das contas, o pai de Virginia viveu até os 90 anos — mais do que a mãe de Virginia — mas, embora tenha enfrentado problemas graves de saúde, o plano de saúde privado e o Medicare do governo dos Estados Unidos cobriram a maior parte dos custos.

Eu sei que é fácil falar depois que as coisas já aconteceram. Talvez ele tenha tido sorte. E se ele tivesse uma doença ainda mais dispendiosa, como Alzheimer, que normalmente requer gastos altíssimos de longo prazo? Ele não precisaria de suas economias para isso? Como observado anteriormente, se esse é o principal motivo pelo qual você se sente compelido a continuar economizando sem parar, lembre-se de que hoje já existem opções de seguros na maioria dos países e que eles custam muito menos do que economizar somas enormes por conta própria para uma crise que pode nunca chegar.

Seja como for, Virginia aprendeu com a experiência dos pais: não espere morrer para doar seu dinheiro. Com os seus cinco filhos e enteados, com idades entre os 29 e os 43 anos, ela e o marido fazem questão de oferecer dinheiro a eles o quanto antes, de acordo com suas necessidades. "Se você recebe [o dinheiro] quando tem 30 anos, pode comprar uma bela casa e criar seus filhos no ambiente em que deseja criá-los, e não ter que lutar como eu fiz", explica ela, com razão.

Timing é tudo

Como ilustra a história de Virginia, saber o momento certo de repassar o dinheiro é de suma importância. Já definimos que esperar até morrer não é a estratégia ideal, então qual seria?

Com certeza é mais fácil dizer a que *não* é ideal. A maioria das pessoas que têm bens para passar aos filhos não os daria a uma criança de 12 anos, ou mesmo a uma de 16. É bastante óbvio que as crianças e a maioria dos adolescentes são jovens demais para administrar um patrimônio.

Mas é claro que isso não significa "quanto mais tarde, melhor". Não quero dizer que há uma idade em que seja tarde demais para dar dinheiro aos seus filhos — afinal, antes tarde do que nunca —, mas 60 anos é pior do que 50, e 50 é pior do que 40. Por quê? Porque a capacidade de uma pessoa de realmente usufruir desses fundos diminui com a idade. Isso acontece exatamente pela mesma razão pela qual sua capacidade de converter dinheiro em experiências agradáveis diminui depois que você atinge certa faixa etária. E uma série de atividades precisam de certo patamar físico e mental mínimo para serem aproveitadas.

Assim, por exemplo, se o ápice da utilidade do dinheiro (o momento em que ele pode ter uso ou proveito ideal) ocorre aos 30 anos, então, aos 30 anos, cada dólar compra um dólar de prazer. Aos 50 anos, a utilidade do dinheiro diminuiu bastante: ou você obteria muito menos prazer com o mesmo dólar ou precisaria de mais dinheiro (digamos, 1,50) para obter a mesma quantidade de proveito que obteve com um dólar quando você era um jovem saudável e cheio de vida de 30 anos. Pela mesma razão, à medida que os seus filhos adultos envelhecem, cada dólar que você dá a eles tem menos poder e, em algum momento, esse dinheiro se torna quase inútil.

Vejamos um exemplo mais específico. Suponha que você ignore meu conselho sobre dar dinheiro aos seus filhos antes de morrer e queira seguir o caminho mais tradicional de deixar isso de herança. Agora suponha que sua expectativa de vida seja de 86 anos e que seu filho mais velho seja 28 anos mais novo que você — ele terá 58 anos quando receber a herança. Neste ponto, ele já terá ultrapassado o ápice das possibilidades de tirar proveito da soma. Claro, não sei a idade exata deste pico, mas com base no que sei sobre a fisiologia humana e o crescimento mental, algo entre as idades de 26 e 35 anos parece sensato, enquanto aos 58 anos esse ponto ideal claramente já ficou para trás.

Recentemente, cheguei a fazer uma enquete informal no Twitter perguntando às pessoas qual era a idade ideal para receber uma herança inesperada, e a maioria concordou. Das mais de 3.500 pessoas que votaram, muito poucas (apenas 6%) disseram que a idade ideal para herdar dinheiro é 46 anos ou mais. Outros 29% votaram nas idades entre 36 e 45 anos, enquanto apenas 12% disseram entre 18 e 25 anos. O vencedor disparado, com mais de metade dos votos, foi a faixa etária entre 26 e 35 anos. Por quê? Bem, algumas pessoas mencionaram o valor do dinheiro aplicado ao longo do tempo e o poder dos juros compostos, sugerindo que quanto mais cedo você recebê-lo, melhor. Por outro lado, muitas pessoas apontaram o problema da imaturidade de receber o dinheiro muito jovem. A essas duas preocupações, eu acrescentaria o elemento saúde: você sempre obtém mais valor do dinheiro antes que sua saúde comece a declinar, o que é um fato inevitável. Resultado final? A faixa etária dos 26 aos 35 anos combina o melhor de todas estas considerações: idade suficiente para receber dinheiro, mas jovem o suficiente para desfrutar plenamente dos seus benefícios.

O que estou mostrando é o imenso contraste entre o que as pessoas dizem querer... e o que apontam os dados sobre herança nos Estados Unidos. Nem sempre conseguimos o que desejamos, mas estou falando com *você* como o potencial doador. Caso disponha de meios para dar dinheiro aos seus filhos, então você também dispõe do poder de controlar quando eles irão recebê-lo. Meu conselho é: não perca essa oportunidade! Tudo o que você dá aos seus herdeiros após a idade ideal para receber tem menos valor para eles. Se você está tentando maximizar o impacto do dinheiro que vai legar — em vez de apenas maximizar o valor absoluto em moeda —, repasse a quantia no período mais próximo possível do pico de possibilidades de seus filhos.

É claro que você pode discordar de mim sobre a idade certa para começar a transmitir patrimônio aos seus filhos, mas ainda assim é preciso reconhecer o valor decrescente do dinheiro em relação ao tempo para seus descendentes. Basta levar isso ao extremo: que é o cenário em que você deixa dinheiro depois de viver uma vida muito longa. Faz sentido deixar uma herança para um filho de 76 anos? Não, a maioria das pessoas diria que 76 anos é tarde demais. (A mãe do meu amigo Baird tem 76 anos, e sabe que não vai poder gastar tudo o que tem antes de morrer. A última viagem que ela fez durou cinco dias, e isso foi dois dias a mais que o ideal, segundo ele disse. Como seu dinheiro tem uso limitado, ela fica tentando doá-lo para Baird, que tem 50 anos, mas a essa altura, a verdade é que o próprio Baird já não precisa mais do dinheiro!)

Para essa otimização, não importa se estamos falando de pais ou filhos: os mesmos princípios, como o valor decrescente do dinheiro, aplicam-se a todos. Se o seu objetivo é maximizar o proveito que você tira da vida, faz sentido querer maximizar o proveito que seus filhos tiram da vida deles. Portanto, se quiser valorizar ao máximo esse presente que será legado aos filhos, leve em consideração a idade de cada um. Seguindo esse raciocínio, você estará pegando dinheiro que não é produtivo em termos de tirar proveito da vida, e transformando-o em um dinheiro aproveitado ao máximo.

É exatamente isso que estou tentando fazer com os meus filhos. Para as minhas filhas, que ainda não têm 25 anos, financiei um plano de poupança educacional e criei um fundo fiduciário. Veja bem, o dinheiro do fundo é dinheiro delas, não meu, e eu contribuo para isso da forma que achar melhor, até o máximo que estou disposto a dar. Meu enteado é mais velho — tem 29 anos — então já recebeu 90% de sua "herança" em dinheiro, que usou para comprar uma casa. (A propósito, fracionar as doações dessa maneira é totalmente aceitável. Mas com certeza não vou esperar até que ele tenha 65 anos para dar o resto!)

Eu tenho um testamento, que serve apenas para distribuir o que possuo caso eu morra de forma inesperada. Há algum tempo, percebi que tinha dinheiro em meu testamento para pessoas mais velhas do que eu, no caso — minha mãe, minha irmã e meu irmão. Isso me fez pensar: *por que não* agora? Não seria melhor dar algo a eles agora, quando poderão aproveitar mais esses presentes, e não depois? Minha resposta foi sim, então doei aquela quantia a eles.

Em resumo, ao dar o dinheiro aos meus filhos e a outras pessoas num momento em que isso pode ter um impacto maior em suas vidas, estou fazendo com que o dinheiro seja deles, e não meu. Essa é uma distinção clara e considero isso libertador: me deixa livre para gastar ao máximo comigo mesmo. Se eu quiser gastar como um louco, posso fazer isso sem me preocupar com o efeito sobre meus filhos. Eles têm o dinheiro deles para gastar como quiserem, e eu tenho o meu.

Seu verdadeiro legado não é o dinheiro

Passei grande parte deste capítulo falando sobre dar dinheiro aos filhos — mas isso só acontece porque a maioria das pessoas pergunta "E quanto aos filhos?". Mas lembre-se, o dinheiro é apenas um meio para atingir um fim, uma forma de comprar as experiências significativas que fazem da sua vida o que ela é. Como expliquei no Capítulo 2, presumo que o seu objetivo de vida não seja maximizar os seus rendimentos e a sua riqueza, mas sim maximizar a sua realização ao longo da vida, que é resultado das experiências e das lembranças duradouras que elas nos fornecem (por si sós, outras experiências). E assim como você está tentando maximizar sua própria realização, você também está tentando maximizar a de seus filhos.

O mesmo vale para as lembranças: assim como você está tentando formar lembranças dos momentos que passa com seus filhos, faz sentido querer que eles criem memórias do tempo com você. Ambos os conjuntos de lembranças produzirão dividendos de lembranças, um fluxo para você e outro para seus filhos. Como você quer ser lembrado por eles? Essa é apenas outra maneira de perguntar: que tipo de experiências quer que eles tenham com você?

É importante pensar nisso antes que seja tarde. Veja isso da perspectiva de uma criança que foi privada de viver experiências com os pais. Um amigo meu recebeu uma enorme fortuna do pai, com quem quase não teve relação enquanto crescia, porque o pai estava sempre fora em busca de oportunidades para construir sua fortuna. Portanto, apesar da impressionante riqueza da família, meu amigo teve uma infância bastante triste. Ele era o clássico pobre menino rico. Os anos de negligência emocional criaram uma tensão duradoura no relacionamento entre pai e filho: quando os dois finalmente tiveram a chance de passar tempo juntos, descobriram que tinham dificuldade em desfrutar da companhia um do outro. Simplesmente não havia como compensar todos aqueles anos e atenção perdidos. Agora, quando meu amigo pensa no legado do pai, a riqueza material é uma das poucas coisas que ele rememora com alguma gratidão.

É como a música "Cat's in the Cradle". A letra é de partir o coração: o homem que conta sua história basicamente perdeu toda a infância do filho, porque sempre havia "aviões para pegar e contas a pagar".

Muitas pessoas citam "Cat's in the Cradle" por ser uma canção muito comovente, e com a qual muitos se identificam. Eu também adoro a música e sua mensagem de que não se pode adiar indefinidamente as experiências com os filhos. Só que essa mensagem está incompleta. Muitos de nós estamos de fato bastante ocupados perseguindo x, y e z em prol de benefícios futuros, sem perceber que agora é o momento de ter experiências valiosas com eles. Mas é muito simplista deixar por isso mesmo, porque há um limite para os benefícios de se passar mais tempo com nossos filhos. Não podemos deixar tudo para depois, mas podemos deixar *algumas* coisas para depois.

Acredito firmemente que nosso verdadeiro legado consiste nas experiências que compartilhamos com eles, sobretudo em sua fase de crescimento (as lições e outras lembranças que você ofereceu a eles). Mas não digo isso de uma forma sentimental, baseado na ideia de que "as melhores coisas da vida são de graça". Na verdade, as melhores coisas da vida não são de graça, porque tudo o que você faz ocupa o lugar de outra coisa que você poderia estar fazendo. Passar tempo com sua família geralmente significa *não* gastar esse tempo ganhando dinheiro e vice-versa. Em vez disso, existem maneiras de pensar sobre as experiências de uma forma mais quantitativa, e isso pode ajudá-lo a tomar decisões melhores a respeito da administração do tempo.

Mas antes de falar sobre isso, quero esclarecer meu argumento principal: entre todas as experiências que você está tentando legar ao seu filho, uma delas é o tempo que vocês passam juntos.

Esse tempo é crucial e muito valioso: as lembranças que seus filhos têm de você possuem efeitos duradouros, para o bem ou para o mal. Os cientistas já sabem há algum tempo que os jovens adultos que receberam mais carinho dos pais quando crianças em geral desfrutam de melhores relacionamentos pessoais em suas vidas, e também apresentam taxas mais baixas de abuso de substâncias e depressão. Sabemos também que os efeitos positivos de pais amorosos e atenciosos duram para muito além da idade do jovem adulto, graças a um estudo realizado com mais de 7 mil adultos de meia-idade. Os pesquisadores fizeram uma série de perguntas a esses adultos sobre suas lembranças de mãe e pai, perguntas como "Quanto tempo e atenção ele/ela lhe deu quando você precisou?" e "Quanto ela/ele te ensinou sobre a vida?" e "Como você avaliaria seu relacionamento com sua mãe/pai durante os anos em que você era criança?"

Obviamente, quanto mais altas eram as avaliações de uma pessoa em questões como essas, mais positivas eram as lembranças de infância do pai ou da mãe. Então, o que os pesquisadores descobriram? Correlacionando essas classificações com respostas dadas a perguntas sobre aspectos específicos, foi possível concluir que os adultos que tinham lembranças de maior afeto parental apresentavam melhor saúde e níveis mais baixos de depressão.[6] A palavra "experiência" pode não evocar a imagem de uma criança sendo ensinada sobre a vida, ou apenas recebendo tempo e atenção — mas, de fato, tudo isso também são experiências, e elas são indispensáveis, recompensando de formas que por vezes chegam a surpreender. Não conheço ninguém que não queira esse tipo de experiência e esse tipo de dividendo de memórias para seus filhos.

Então, como quantificar esse tipo de coisa? Qual é o valor de uma memória positiva? Seu primeiro instinto pode ser dizer que é impossível calcular, ou que as memórias não têm preço. Mas permita-me colocar de outra forma: qual é o valor para você de uma semana em uma cabana à beira de um lago? Ou de um dia passado na companhia de um parente querido? O preço pode ser extremamente alto ou bastante baixo, mas o fato de você poder estimar um preço aproximado indica que o valor de uma experiência pode ser quantificado. (Na verdade, você deve se lembrar de ter feito isso com os "pontos de experiências" em um capítulo anterior.)

Estou dando grande importância à quantificação do valor das experiências com seus filhos porque isso força você a fazer uma pausa e pensar sobre o que é *de fato* melhor para eles. Às vezes é ganhar mais dinheiro, e às vezes é passar mais tempo juntos. Muitas pessoas dizem a si mesmas que estão trabalhando em prol dos filhos, presumindo cegamente que ganhar mais dinheiro vai beneficiá-los. Mas antes de parar e pensar nos números, você não vai saber se sacrificar o seu tempo para ganhar mais dinheiro resultará em um benefício verdadeiro para os seus filhos.

O que pensar sobre esses números pode nos dizer? Bem, tomemos um exemplo extremo. Digamos que você viva na natureza, e precise "sair para trabalhar" cortando árvores para construir um abrigo básico para sua família. Quando você tem que trabalhar apenas para permitir que sua família sobreviva, é claro que faz sentido trabalhar em vez de passar tempo com ela. Mas uma vez ultrapassado o ponto de apenas trabalhar para as necessidades básicas e evitar experiências negativas, você pode começar a trocar seu trabalho por experiências de vida positivas. No que diz respeito aos seus filhos, você pode trabalhar por mais dinheiro para comprar experiências para eles, ou gastar seu tempo livre para proporcionar a eles a experiência de passar tempo com você.

No outro extremo está o bilionário que trabalha muitas horas e viaja tanto a trabalho que não passa tempo algum com os filhos. Se você já é bilionário, é fácil presumir que seus filhos estariam em melhor situação se você passasse pelo menos um pouco mais de tempo com eles, mesmo que isso prejudique seus negócios. O custo financeiro para a sua carreira é pequeno, mas o benefício para os seus filhos é imenso. Portanto, é um ganho líquido para a família, inclusive para você mesmo.

O valor do tempo com seus filhos é como o valor da água: se você tiver 50 galões de água, não pagaria um centavo por um galão a mais. Mas se você está morrendo de sede no deserto, talvez esteja disposto a cortar o braço para conseguir um galão que seja.

A maioria de nós, é claro, está em algum lugar entre esses dois extremos. Não trabalhamos o tempo todo apenas para sobreviver, nem negligenciamos completamente os nossos filhos. Como tal, estamos diante de uma negociação ainda mais difícil entre tempo e dinheiro. Mas a linha de raciocínio deve ser a mesma usada em casos extremos, mesmo que a resposta não seja óbvia: cada hora adicional de trabalho que você realiza vale mesmo a pena para você e seus filhos? O seu trabalho contribui para o seu legado — ou na prática está servindo para diminuí-lo?

Ter pais empregados é uma faca de dois gumes para crianças em todos os níveis de renda. Quando os pais vão trabalhar, seus ganhos podem melhorar a vida dos filhos de muitas maneiras, mas como salienta a economista Carolyn Heinrich, o trabalho (especialmente as horas extras e os turnos noturnos) pode prejudicar o vínculo parental e provocar um estresse real na vida das crianças. Pais de baixa renda em particular são ainda mais propensos a trabalhar em empregos estressantes, com muitas horas de trabalho.[7] Mas sabemos, logicamente, que a maioria das pessoas precisa trabalhar para sustentar as suas famílias, e o equilíbrio ideal entre o tempo no trabalho e o tempo com os filhos nem sempre é óbvio.

O momento da vida pelo qual você e seus filhos estão passando também é importante. Assim como você não pode adiar viagens para esquiar porque existe um nível mínimo de saúde necessária para conseguir realizar essa atividade, não dá para continuar adiando o tempo com seu filho de 6 anos, porque logo ele não terá mais 6 anos. Nem 7 anos. Ou nem será mais uma criança. O fato de que essas oportunidades desaparecem aos poucos deve fazer com que você reavalie de quanto dinheiro estaria disposto a abrir mão para viver essas experiências.

Agora olhe para isso do ponto de vista dos seus filhos, porque é a realização deles que estamos tentando elevar ao máximo. Quanto você acha que um dia a mais com você vale para ele ou ela? Ou ter você em casa quando voltarem da escola? Ou para que você assista ao jogo de futebol ou ao recital de música? Estou bem ciente de que seus filhos, especialmente quando são muito pequenos, provavelmente não valorizam essas experiências enquanto as vivenciam. Se eu perguntasse à minha filha mais velha quanto ela valoriza minha ida a um de seus jogos, ela talvez nem soubesse do que estou falando. Mas essas experiências compartilhadas têm um valor real, especialmente quando olhamos para trás. Lembre-se: o propósito do dinheiro é poder viver experiências, e uma dessas experiências para seus filhos é passar tempo com você. Portanto, se você está ganhando dinheiro, mas se privando de ter experiências com seus filhos, na verdade você os está privando de experiências. E a você mesmo também.

Pensando profundamente nas implicações de dizer que nosso legado consiste em experiências com nossos filhos, a conclusão pode ser um tanto radical: isto é, uma vez que tenhamos dinheiro suficiente para cuidar das necessidades básicas da família, ir trabalhar para ganhar mais dinheiro pode estar fazendo com que a gente diminua a herança deles por estar passando menos tempo com eles! Quanto maior o nosso patrimônio financeiro, maior é a chance de que isso seja verdade.

A filantropia não pode esperar

Adivinha só! Quase tudo o que eu disse sobre dar dinheiro aos filhos na hora também é válido para as doações para instituições filantrópicas. Quer o dinheiro ou o tempo que você esteja doando seja para os seus filhos, para instituições ou para você mesmo, o conceito-chave é o mesmo: existe um momento ideal, e nunca é quando você já está morto.

Pense sobre a manchete desta notícia do *New York Times*, uma das mais compartilhadas por e-mail na semana em que foi publicada: "Secretária de 96 anos acumula fortuna silenciosamente e doa 8,2 milhões de dólares". Uau! A matéria explicava como uma mulher do Brooklyn chamada Sylvia Bloom conseguiu acumular esse patrimônio apenas com seu salário de secretária jurídica. Embora fosse casada, a mulher não tinha filhos, trabalhou para o mesmo escritório de advocacia de Wall Street por 67 anos, morou em um apartamento com valor de aluguel regulamentado pelo governo, pegava o metrô para o trabalho mesmo depois dos 90 anos — e fez suas economias crescerem replicando em menor escala os investimentos feitos pelos advogados para quem trabalhava.

Ninguém próximo à senhora Bloom tinha ideia de sua riqueza até depois de sua morte. Ela deixou 6,24 milhões de dólares para um centro comunitário de serviço social chamado Henry Street Settlement, e outros 2 milhões para o Hunter College e mais um fundo de bolsas de estudo. Todos no centro comunitário ficaram perplexos. A sobrinha de Bloom, que era tesoureira da organização, ficou especialmente chocada. Foi a maior doação individual nos 125 anos de história do centro comunitário. O diretor executivo do grupo chamou o presente de "a síntese do altruísmo".

Eu entendo o que ele quis dizer — parece mesmo altruísta deixar tanto dinheiro depois de viver com tão pouco, e uma boa ação sempre é uma boa ação —, mas, com toda a franqueza, não vejo as ações de Bloom como o ápice do altruísmo.

Não dá para ser generoso estando morto

Antes de explicar por que as ações de Bloom não me parecem tão altruístas, deixe-me explicar que não posso dizer se a decisão de alguém é boa ou ruim, racional ou irracional, sem saber o que a pessoa quer. Por exemplo, eu pessoalmente posso preferir dar o meu tempo e dinheiro às pessoas em vez de aos animais. Mas se alguém preferir ser voluntário numa organização de resgate de animais em vez de num abrigo para os sem-teto, quem sou eu para dizer que isso é irracional? Desde que o que se faça seja consistente com o que realmente se quer, respeito a decisão, mesmo que seja diferente da que eu teria tomado. Gosto não se discute, simples assim.

Portanto, não posso dizer que Sylvia Bloom cometeu um erro ao trabalhar a vida toda e economizar para que todo esse dinheiro fosse para outras pessoas. Podemos especular se ela estava impondo restrições a si mesma para doar mais aos outros (o que seria generoso, de fato) ou se estava apenas vivendo no piloto automático, com seus beneficiários recebendo o que sobrou (o que não seria exatamente generoso). Por quê? Bem, uma vez que você morre, a transferência de seus bens é executada judicialmente e a única palavra que você tem sobre o assunto (através de seu testamento, obviamente criado antes de você morrer) é para onde esses bens serão transferidos. Mas o seu dinheiro será repassado, não importa o que aconteça —

então, como isso pode ser generosidade? Mortos não pagam impostos, mas quem recebe as heranças, sim. Portanto, você só pode ser generoso quando está vivo, quando faz escolhas reais e assume suas consequências: somente estando vivo você pode escolher se quer dar seu dinheiro ou seu tempo para uma coisa ou outra. Se você doar de forma generosa enquanto ainda estiver vivo, aí sim posso dizer que você é altruísta. Se está morto, você simplesmente não tem essa possibilidade de escolha. Então, por definição, não dá para ser generoso estando morto.

Uma terrível ineficiência

Talvez você pense que estou sendo muito meticuloso em minhas definições de altruísmo, generosidade e escolha. Afinal, a senhora Bloom economizou ao máximo e colocou essas instituições em seu testamento, então suas intenções devem ter sido generosas, certo? Ok, é possível que ela também tenha ficado muito alegre ao economizar esse dinheiro, sabendo que algum dia ele iria para uma causa pela qual ela se importava — afinal, doar para a caridade é outra maneira de viver uma experiência.

Então qual é o problema? Bem, o problema é a terrível ineficiência dessa atitude: pessoas que passaram a vida necessitadas não se beneficiaram da generosidade da senhora Bloom. Ela foi uma pessoa que, por sua própria escolha de gastar muito pouco de seu crescente patrimônio, teve um padrão de vida muito abaixo do que poderia. Ela optou por continuar pegando metrô para o trabalho e continuar morando em um apartamento com aluguel regulado pelo governo (que, aliás, poderia ter sido usado por uma pessoa mais necessitada). Suponhamos que ela estava economizando especificamente para que seu dinheiro pudesse ir para essas instituições filantrópicas. Então, por que ela não doou para suas amadas instituições antes, coisa que claramente poderia ter feito?

Bem, talvez parte do seu motivo para poupar fosse precaução. Talvez a senhora Bloom tenha cogitado que havia uma boa probabilidade de precisar gastar 2 milhões de dólares aos 72 anos para cuidar da própria saúde. Ou talvez ela pensasse no dinheiro que crescia em suas contas como uma espécie de pontuação, uma medida de seu desempenho, e não como uma forma de causar impacto no mundo. Ou talvez ela realmente não tenha pensado muito bem no assunto, afinal, grandes doações por ocasião da morte são uma parte profundamente arraigada da nossa cultura. Não sei, hoje nos resta apenas especular a respeito. Mas sei que o adiamento da transferência dessa soma foi ineficiente, porque as suas instituições de caridade decerto poderiam ter aplicado o dinheiro antes, beneficiando muito mais pessoas mais cedo.

Pense, por exemplo, no incrível presente que Robert F. Smith deu à turma de 2019 do Morehouse College, quitando todos os seus empréstimos estudantis. Sejam quais foram os seus motivos, e qualquer que seja o valor que a sua doação tenha somado, a questão é que Smith não a colocou no seu testamento: ele doou enquanto ainda estava bem vivo, permitindo que os formandos saíssem da faculdade livres de dívidas.

Sylvia Bloom também contribuiu para causas educacionais, o que é particularmente interessante para os nossos propósitos, porque os benefícios de investir em educação estão muito bem documentados. Os benefícios revertem não apenas para cada um dos estudantes (que, como resultado da educação, podem obter melhores empregos e desfrutar de melhor saúde), mas também para a sociedade como um todo. Taxas mais baixas de pobreza, crime e violência são apenas os benefícios sociais mais óbvios.[8]

Economistas também tentaram quantificar o retorno do investimento em educação, e descobriram que, em todo o mundo, os retornos sociais da escolaridade nos níveis secundário e superior ficam acima de 10% (ao ano).[9] Que outro investimento pode gerar uma taxa de retorno tão alta e confiável? Para justificar manter seu dinheiro e investir por conta própria, em vez de entregá-lo desde já à sua instituição educacional favorita, você precisa saber que pode ganhar mais do que essa taxa de retorno ano após ano. As organizações de filantropia com certeza preferem receber o seu dinheiro agora. Mas algumas delas, especialmente as fundações e organizações sem fins lucrativos, também não utilizam de forma imediata o dinheiro que recebem e, em vez disso, aumentam seu patrimônio tentando receber mais do que doam a cada ano. Por exemplo, em 1999, as fundações arrecadaram mais de 90 bilhões, mas distribuíram menos de 25 bilhões de dólares. É por isso que uma análise conclui que "os doadores devem perguntar não apenas como, mas quando, as suas doações serão utilizadas".[10] Eu concordo totalmente. Independentemente de como a sua instituição favorita gaste o seu dinheiro, para ela sempre será melhor recebê-lo o quanto antes.

Seu legado é agora

Você já sabe o que penso a respeito da hora certa para os gastos em geral, mas volto a isso porque é um tema importante. Minha regra número um é: maximize suas experiências de vida. Portanto, gaste seu dinheiro enquanto estiver vivo — seja com você mesmo, com seus entes queridos ou com caridade. E além disso, encontre os momentos ideais para gastá-lo.

Quando se trata de dar dinheiro aos filhos, o momento ideal, como sugeri anteriormente neste capítulo, é quando eles têm entre 26 e 35 anos — não tarde demais para causar um bom impacto, e não tão cedo para que possam desperdiçar o dinheiro. Mas e quanto a doar dinheiro para instituições filantrópicas? Com a caridade, não existe cedo demais. Quanto mais cedo dermos dinheiro à pesquisa médica, por exemplo, mais cedo esse dinheiro poderá ajudar a combater doenças.[11] Todos os dias acontece um novo avanço tecnológico que melhora a vida das pessoas e, com o tempo, esses avanços somados causam um grande impacto. Mas não podemos simplesmente esperar que essas coisas aconteçam: precisamos doar o que pudermos com base nos recursos que temos hoje e nos recursos que esperamos ter no futuro.

Um amigo estava me dizendo que queria começar um negócio e, se o negócio desse certo, ele gostaria de doar o lucro para instituições de caridade. Seu objetivo com o negócio era causar um enorme impacto na sociedade através da filantropia. Você já deve ter adivinhado o que eu disse a ele, certo? Eu disse: a instituição de caridade precisa do seu dinheiro agora. Se você tem dinheiro agora para investir em um novo negócio, e todo o seu objetivo de investir no negócio é ganhar dinheiro para caridade, você e a instituição estariam ambos em melhor situação se você simplesmente doasse o dinheiro já, de forma direta, mesmo que a quantia seja menor do que você poderia doar mais tarde. O sofrimento está acontecendo agora, então a hora de começar a aliviá-lo é agora, e não em alguma data distante no futuro.

Cada vez mais filantropos estão aderindo a esta abordagem, que o filantropo bilionário Chuck Feeney chama de "doar enquanto se vive". Feeney, que fez fortuna como fundador do DuFry (as lojas sem taxação nos grandes aeroportos), é um grande modelo para o que estou defendendo: ele começou a doar seu dinheiro cedo (de forma anônima), e quando chegou aos 80 anos, já havia doado mais de 8 bilhões de dólares do seu patrimônio. Ele escolheu viver frugalmente, assim como Sylvia Bloom, a secretária — mas, ao contrário de Bloom, Feeney não esperou até sua morte para que esse dinheiro fosse destinado às causas da caridade. Hoje na casa dos 80 anos, por opção, ele e a esposa moram em um apartamento alugado. Seu patrimônio líquido caiu para cerca de 2 milhões, quantia que ainda é o suficiente para sustentá-lo pelo resto da vida, mas uma pequena fração do dinheiro que ele doou ao longo dos anos.

Feeney tem servido de inspiração para muitas pessoas ricas, incluindo Bill Gates e Warren Buffett. Mas você não precisa ser rico para doar enquanto vive. O mesmo princípio se aplica em qualquer escala, quer você tenha bilhões, milhares ou centenas. Não é preciso muito dinheiro para causar um impacto real para as pessoas em países em desenvolvimento. Existem inúmeras organizações através das quais você pode ajudar uma criança por menos de 500 dólares por ano, fazendo com que ela cresça segura, saudável e com a melhor educação possível, iniciando assim um ciclo positivo para as gerações futuras.

Se você não tem tanto dinheiro para doar quanto gostaria, é provável que ainda tenha *tempo* para doar. Então lembre-se, quando digo "morra sem nada", não quero dizer para morrer com o dinheiro que você vai doar para instituições de caridade. Se você planeja doar, faça isso enquanto está vivo, e quanto mais cedo melhor. Seja qual for a instituição de sua escolha, ela não pode esperar.

Recomendações

- Pense em quais idades você deseja dar dinheiro aos seus filhos, e quanto deseja dar. O mesmo acontece com a quantidade que você deseja destinar para as instituições de caridade. Discuta essas questões com seu cônjuge ou companheiro(a). E faça isso hoje!
- Certifique-se de conversar com um especialista sobre esses assuntos, como um consultor patrimonial ou um advogado.

6

EQUILIBRE SUA VIDA

Regra número 6:
Não viva no piloto automático

No início deste livro, falei sobre a ocasião em que meu chefe disse que eu era um idiota. Como você deve se lembrar, aos 20 e poucos eu era um cara bem pão-duro e me sentia orgulhoso por conseguir economizar dinheiro mesmo ganhando pouquíssimo. Meu chefe, Joe Farrell, me fez cair na real ao lembrar que eu estava no caminho para ganhar muito mais nos próximos anos, e que por isso era burrice não gastar todo o dinheiro que estava ganhando naquele momento.

Joe Farrell não tirou esse conselho do nada. Muitos economistas partilham da ideia de que é racional que os jovens tomem mais liberdades com seu dinheiro, embora isso vá contra o conselho que a maioria de nós ouvimos enquanto crescemos. Quando temos cerca de 8 ou 9 anos, nossos pais nos aconselham a economizar parte do dinheiro recebido como presente de aniversário em vez de gastar tudo. Quando crescemos, os consultores financeiros nos dizem que nunca é cedo para começar a poupar parte dos nossos contracheques.

Por outro lado, muitos economistas acham que essa prudência entre os jovens em geral é má ideia. Quando o economista Steven Levitt, famoso pelo livro *Freakonomics*, chegou à Universidade de Chicago como professor do primeiro ano, um colega sênior chamado José Scheinkman disse a ele que deveria gastar mais e economizar menos – o mesmo conselho que o próprio Scheinkman recebeu de Milton Friedman, o economista ainda mais famoso da Universidade de Chicago. "Seu salário só vai aumentar, seu poder aquisitivo só vai aumentar." Levitt se lembra de ouvir isso do colega mais velho, uma repetição quase perfeita do que Joe Farrell havia dito a mim. "Agora não é hora de economizar, é hora de pedir emprestado. Você deveria estar vivendo hoje da mesma maneira que viverá daqui a 10 ou 15 anos, e na verdade é uma loucura estar economizando tanto como era o ensinado, pelo menos a alguém como eu, criado em uma família de classe média."[1] Levitt diz que este foi um dos melhores conselhos financeiros que já recebeu na vida.

Eu diria a mesma coisa sobre o conselho quase idêntico que recebi de Joe Farrell, embora eu tenha exagerado durante algum tempo. As palavras de Joe abriram meus olhos para uma maneira totalmente nova de pensar sobre o equilíbrio de ganhos e gastos. Eu me tornei um convertido fiel — havia um eu antes daquela conversa com Joe, e um eu muito diferente depois. Antes, eu vivia como vivem hoje as pessoas do movimento FIRE — fazendo tudo barato, cuidando de cada centavo e economizando o máximo possível para o futuro. Até as palavras de Joe me fazerem virar a chave. Muito rápido, passei de um cara que economizava em tudo para um cara que basicamente torrava dinheiro. Nos anos seguintes, minha renda continuou a aumentar, como Joe havia dito que aconteceria, e meus gastos também.

Eu estava me divertindo muito, mas infelizmente não consigo apontar nenhuma experiência específica daqueles anos que tenha rendido muitos dividendos de lembranças. Isso porque eu estava enlouquecido — gastando por gastar, de maneira zero seletiva. Fiz coisas como comprar um aparelho de som estéreo com uma capacidade maior do que meus ouvidos eram capazes de perceber, ia a restaurantes que eram mais caros, mas não tão diferentes dos restaurantes onde já havia jantado. Basicamente, se houvesse uma versão mais cara de alguma coisa, eu optaria por ela sem pensar em obter o máximo proveito. Na prática, acabei passando do piloto automático no modo economizar para o piloto automático no modo gastar.

E esse modo comprometia meu futuro porque eu não estava apenas gastando toda a minha renda extra disponível, eu também estava metendo a mão na minha reserva de segurança. E se eu perdesse meu emprego? Além do seguro-desemprego, eu não teria nenhuma reserva para me sustentar — eu não tinha sequer o equivalente a um mês de salário guardado.

Ainda acredito piamente que é bom correr riscos quando somos jovens o suficiente para reverter possíveis contratempos, mas só se houver uma vantagem, uma recompensa que faça o risco valer a pena. A relação entre risco e recompensa sempre deve ser o foco. Por exemplo, caso eu fosse para o Nepal em uma viagem que nunca mais poderia fazer, porque mais tarde eu teria filhos e outras responsabilidades, esse era um risco que valia a pena correr. Não haveria problema em gastar tudo o que eu tinha e até mesmo contrair dívidas (como meu amigo Jason fez em seu mochilão pela Europa) para esse tipo de experiência única na vida. Eu não chamaria isso de torrar dinheiro. Mas meus gastos naquela época não eram assim: pelo que eu ganhava, o risco que corria não valia a pena.

Mas dá para entender como eu fui longe demais: para evitar a idiotice anterior de ficar me privando de tudo, eu simplesmente me tornei um tipo diferente de idiota. Ao seguir a sugestão de Joe de forma descontrolada, substituí um erro por outro: antes eu era muito econômico e depois me tornei muito perdulário. A verdadeira sabedoria do ensinamento de Joe não é sempre gastar tudo o que você ganha e continuar apostando em um futuro cada vez melhor. Não. Hoje percebo que a principal conclusão a tirar de seu conselho é: *devemos encontrar o equilíbrio certo entre gastar no presente (e apenas naquilo que valorizamos) e poupar de forma inteligente para o futuro.*

Por que regras simples de equilíbrio não funcionam para todos?

Também percebi que esse equilíbrio continua mudando à medida que você avança na vida, o que também é totalmente contrário à maioria dos conselhos sobre finanças pessoais que ouvimos por aí. Por exemplo, alguns especialistas financeiros recomendam que você economize "pelo menos 10%" de sua renda a cada mês ou a cada contracheque. Outros especialistas sugerem números diferentes, como 20% — mas todos sugerem que você faça isso todo mês, semana ou a cada recebimento de salário, não importando sua idade ou situação financeira.

Vejamos a recomendação de 20%, que vem de uma fórmula de orçamentos popular chamada regra 50-30-20.[2] O conceito foi criado pela senadora norte-americana Elizabeth Warren. Antes de entrar para a política, Warren era professora de direito com especialização em falências e também coescreveu livros abordando os motivos pelos quais norte-americanos de classe média vão à falência e como evitar esse destino terrível. Ela sugeriu a regra 50-30-20, que chamou de Fórmula do Dinheiro Equilibrado, como forma de ajudar as pessoas a manter a estabilidade financeira.

De acordo com essa regra, deve-se destinar 50% da renda para itens básicos (como aluguel, alimentação e serviços essenciais), 30% para desejos pessoais (como viagens, entretenimento e jantares) e os 20% restantes para construir uma reserva e pagar dívidas. A regra parece uma maneira ótima (e simples) de atingir esse objetivo — especialmente para pessoas que talvez não tenham um bom controle sobre seus gastos —, e com certeza fez sucesso. Mas se você quiser ir além da estabilidade financeira, isto é, se compartilha o meu objetivo de maximizar a realização sem ir à falência, então será preciso uma forma mais sofisticada de pensar sobre esse equilíbrio. Na minha opinião, a proporção entre gastos e poupança não deve, de forma alguma, ser a mesma para todo mundo — e, mais importante, de forma alguma a porcentagem de poupança deve ser a mesma quando você tem 22 anos e quando tem 42 ou 52. O equilíbrio ideal varia de pessoa para pessoa, e à medida que a idade e a renda mudam. Este capítulo vai mostrar vários métodos para ajudar você a encontrar e manter seu equilíbrio ideal.

Por que o equilíbrio entre gastar e poupar se transforma com o tempo?

A regra 50-30-20 e outras fórmulas simples sugerem uma relação constante entre gastos e poupança. Por exemplo, na regra 50-30-20, em que você economiza 20% da sua renda, a proporção é de 80 para 20. Se você retirar os itens essenciais, fazendo com que os únicos gastos contabilizados sejam aqueles com desejos pessoais (mais ou menos o que chamo de "experiências"), a proporção entre gastos e poupança é de 30 para 20. Por que digo que esse equilíbrio não pode ser o certo durante toda a vida? Bem, porque não é uma alocação ideal da sua energia vital. Você já entende parte do motivo se concordar com Joe Farrell e Steve Levitt: é loucura economizar 20% da sua renda quando você é jovem e tem bons motivos para esperar ganhar muito mais nos próximos anos.

Na verdade, como sugere Levitt, pode até fazer sentido pedir dinheiro emprestado (gastando mais do que se ganha no momento) quando você espera ganhar muito mais no futuro.

E só para ficar claro: ao dizer que faz sentido pedir dinheiro emprestado quando se é jovem, *não* estou dizendo que você deveria acumular dívidas no cartão de crédito — esses empréstimos com juros altos são uma má ideia para quase todo mundo. Peça emprestado de forma modesta e responsável. Quando você tem muitos anos de aumento de ganhos pela frente, realmente não faz sentido economizar 20% da sua renda. Isso significaria renunciar a experiências incríveis que você poderia viver, e também trabalhar para pagar por uma versão mais rica de você no futuro — um uso da sua energia vital abaixo do ideal, com certeza.

Ok, agora suponhamos que você concorde comigo que uma divisão de 80 a 20 não é o ideal para muitos jovens trabalhadores. Mas e quanto aos trabalhadores mais velhos? Obviamente, em algum momento você terá que começar a poupar para a aposentadoria, momento em que terá pouca ou nenhuma renda. E não é apenas para a aposentadoria que a poupança é necessária — quase sempre haverá momentos na vida em que sua renda atingirá um platô, ou seus gastos terão de aumentar, ou ambas as coisas ao mesmo tempo. Para todas essas eventualidades, em algum momento será necessário economizar, é claro. Quando chegar essa hora, no entanto, você não vai querer economizar demais (porque estaria renunciando a experiências que talvez nunca mais tenha) e também não vai querer economizar muito pouco (porque isso tiraria de seu futuro eu). Você vai querer economizar o mais próximo possível da quantidade perfeita, ou seja, vai querer alcançar o equilíbrio ideal entre aproveitar o presente e garantir um bom futuro.

Mas mesmo quando você atinge uma idade em que é sensato começar a poupar, *não* vai existir um número mágico, uma taxa de poupança constante ideal que mantenha suas finanças em equilíbrio até você se aposentar. Para entender o motivo disso, é preciso entender toda a extensão de um conceito que mencionei anteriormente: nossa capacidade de extrair prazer do dinheiro é inversamente proporcional ao aumento da idade. O que isto significa? A ideia fica clara quando você olha para uma pessoa em seu leito de morte. Muito fraca e frágil para mover o corpo, talvez precisando de um tubo de alimentação e de ajuda para realizar algumas de suas funções mais básicas, o moribundo não consegue fazer muita coisa, exceto pensar no que já fez na vida. Você pode oferecer a ele uma viagem em um jatinho particular para qualquer lugar do mundo — mas ele simplesmente não irá a lugar nenhum. Quer tenha poupado um milhão de dólares ou um bilhão, o dinheiro não fará diferença real no aumento do prazer que lhe resta na vida. Sei que esta é uma maneira sombria de encarar o fim da vida, mas fato é que ela coloca tudo em perspectiva. Quando se chega a esse ponto da vida, a única pessoa com ainda menos capacidade de extrair prazer do dinheiro é aquela que está no necrotério ou no túmulo.

O que isso tem a ver com você, uma pessoa saudável de 20, 30, 40 anos, ou seja qual for sua idade atual? Bem, tem tudo a ver! Penso muito nessas situações de leito de morte porque o fato de todos morrermos traz implicações para todos os dias das nossas vidas. Todos nós já ouvimos a pergunta hipotética "O que você faria se soubesse que iria morrer amanhã?" A pessoa que faz essa pergunta geralmente devolve sua resposta com "Por que você não faz essas coisas agora?" Bem, é óbvio que você provavelmente *não vai* morrer amanhã, então é tolice agir como se fosse o caso. De maneira geral, o momento da chegada da sua morte afetará sua forma de gastar o tempo.

Como mencionei antes, se você soubesse que iria morrer amanhã, viveria o hoje de uma maneira, e se fosse daqui a dois dias, você viveria o hoje de maneira um pouco diferente — porque ainda terá o amanhã. O mesmo se aplica para daqui a três dias, daqui a quatro dias ou daqui a 20 mil dias: quanto mais recuarmos no tempo, mais o equilíbrio mudará entre viver o hoje e planejar o futuro. Portanto, se você voltar um dia ou um ano de cada vez, do leito de morte até a cadeira de rodas, até a aposentadoria, e depois voltar aos 30, aos 20 e assim por diante, verá ao menos mudanças sutis em como deveria estar vivendo sua vida. Isso é mais fácil de notar quando usamos o recorte de alguns dias — as mudanças são bruscas. Mas quando falamos de *milhares* de dias — de anos e décadas —, as pessoas tendem a esquecer completamente essa lógica e a agir como se 20 mil dias fossem o mesmo que uma eternidade. Mas é claro que nenhum de nós tem a eternidade. Precisamos ter isso em mente para aproveitar ao máximo o tempo que temos e não cairmos na armadilha de viver no piloto automático.

Viajar é um bom exemplo: para mim, viajar é a medida definitiva da capacidade de uma pessoa extrair prazer do dinheiro porque, além do dinheiro, viajar exige tempo e, acima de tudo, saúde. Muitas pessoas de 80 anos simplesmente não podem viajar muito ou ir muito longe — a sua saúde impede isso. Mas você não precisa estar completamente debilitado para evitar alguns dos aborrecimentos associados às viagens. Quanto menos saudável você for, menos será capaz de lidar com voos longos, escalas em aeroportos, sono irregular e outros fatores estressantes relacionados às viagens. Um estudo sobre as restrições de viagem das pessoas — o que as impediu de viajar para um destino específico — não só confirma esta intuição como vai mais longe. Alguns pesquisadores perguntaram a pessoas de diferentes idades o que as impedia de fazer uma viagem. Eles descobriram que as pessoas com menos de 60 anos são mais limitadas por tempo e dinheiro, enquanto as pessoas com 75 anos ou mais são mais limitadas por problemas de saúde. Em outras palavras, quando tempo e dinheiro não são mais um problema, a saúde passa a ser. E não é como se houvesse uma idade em que as pessoas subitamente começassem a ter problemas de saúde que as impedissem de viajar. "Os problemas de saúde eram cada vez mais um fator limitador à medida que a idade aumentava", relataram os pesquisadores, "e eram um grande limitador para os entrevistados mais velhos."[3]

É uma dura realidade: a saúde começa a se deteriorar após os anos de ápice — entre o final da adolescência e os 20 e tantos anos —, por vezes de forma súbita, mas em geral tão gradualmente que nem nos damos conta. Quando eu era jovem, adorava praticar esportes, principalmente futebol americano. Ainda gosto do esporte, mas mesmo que ainda tenha 50 anos, já não posso aproveitar tanto quanto quando tinha 20. Não consigo correr tão rápido e estou muito mais sujeito a lesões. Quando você tem medo de romper o manguito rotador ou estourar o joelho, o futebol americano simplesmente não é tão divertido. Amigos mais ou menos da minha idade concordam: a certa altura, as lembranças de ter praticado o esporte são muito mais agradáveis do que jogar de fato.

Isso acontece com todos os tipos de atividades físicas. Na semana passada, eu estava jogando tênis e percebi que meus joelhos estavam doendo um pouco, então parei. Isso não teria acontecido há vinte anos. Meu amigo Greg, que adora esquiar e está em ótima forma (para a idade), recentemente esquiou por sete dias seguidos — algo que ele poderia ter feito com facilidade quando tinha 22 anos —, mas depois sentiu muitas dores e percebeu que tinha sido demais para a idade.

A diminuição do prazer causada pelo declínio da saúde também tem um impacto real sobre até onde vai o dinheiro, e o esqui é um bom exemplo. Digamos que um esquiador idoso decida continuar a desfrutar do esporte fazendo mais pausas ou intervalos mais longos entre as práticas. Ótima ideia, mas isso não significa que ele esteja tendo a mesma experiência de quando era mais jovem e mais forte. Se costumava fazer vinte boas descidas em um dia, agora ele consegue apenas 15. Na prática, a mesma quantia de dinheiro gasta naquele dia de esqui agora oferece apenas 75% do prazer de esquiar anos antes.

Meu amigo Greg vai se recuperar e poderá esquiar novamente, é claro, mas seu prazer futuro será reduzido porque ele não vai conseguir esquiar tanto quanto antes — até que em determinado momento ele não conseguirá mais esquiar, ponto.

Sou lembrado dessa triste realidade o tempo todo, porque muitas pessoas que conheço começam a notar restrições físicas semelhantes acontecendo com elas. Vou contar um exemplo dramático específico. Nas Ilhas Virgens Britânicas, numa ilha chamada Jost Van Dyke, há um ótimo local na praia chamado Soggy Dollar Bar [Bar da Nota Ensopada, em tradução livre]. Como o bar não tem cais, as pessoas ancoram seus barcos um pouco longe da costa e literalmente vão nadando até lá, para beber o famoso Painkiller e pagá-lo com cédulas ensopadas. Algumas pessoas preferem pegar carona em um Seabob, que parece um pequeno jet ski, mas, se você gosta de nadar, vale a experiência completa, com dinheiro molhado e tudo.

Bem, isso é o que o avô da minha namorada, Chris (com 69 anos na época), queria fazer quando veio me visitar — ele é ex-técnico de natação e estava ansioso para experimentar, então entramos juntos na água. A distância entre o ponto de ancoragem e o bar é curta, uns 30 metros, mas cerca de 20 metros depois ouvi Chris gritar: "Falta muito?" Gritei de volta que ele conseguia ficar de pé (a água era rasa), mas ele não me ouviu. Tomei um susto quando cheguei perto: ele estava com a respiração descontrolada! Eu já estava pensando em como fazer massagem cardíaca e onde conseguir um desfibrilador a tempo, caso a coisa piorasse. Felizmente, não chegou a esse ponto — Chris começou a recuperar o fôlego e, 15 minutos depois, sua respiração e frequência cardíaca tinham voltado ao normal e desfrutamos de nossos drinques comprados com cédulas encharcadas. Ufa!

Chris e muitas outras pessoas se lembram de seus dias de glória sem perceber o que está acontecendo com seus corpos — no caso de Chris, que ele não estava em forma para nadar 30 metros. Muitos de nós temos essa desconexão mental com a realidade, e ela ajuda a perpetuar o mito de que teremos intermináveis anos para aproveitar na aposentadoria, sendo capazes de fazer o que gostamos para sempre.

Agora, talvez você esteja pensando: "Isso pode ser verdade para muitas pessoas, mas estou em melhor forma do que há vinte anos!" Bem, para mim isso apenas significa que você não estava cuidando muito bem da sua saúde antes — porque se estivesse, você com certeza estaria em melhor forma há vinte anos. Dadas as mesmas condições, uma pessoa de 20 anos é mais saudável e mais forte do que uma pessoa de 40 anos, e uma pessoa de 55 anos é mais saudável e mais forte do que uma pessoa de 75 anos. Esses são fatos físicos da vida. Permita-me mostrar algumas evidências retiradas de pesquisas médicas.

Cada sistema em nosso corpo se deteriora em um ritmo próprio, mas *todos* se deterioram. Por exemplo, quando os médicos pesquisadores acompanham as alterações na densidade óssea e na massa muscular de uma população ao longo do tempo, reportam diferentes conjuntos de números para os dois indicadores. Para complicar a situação, também há diferenças significativas entre grupos de pessoas. Mulheres brancas, por exemplo, têm menor densidade óssea nos quadris do que mulheres negras, e ambos os grupos têm menor densidade óssea do que os homens negros. Mas todos os grupos apresentam um declínio com a idade.

Os pesquisadores também monitoram diferentes indicadores de saúde ocular (função visual), como sensibilidade ao contraste, espessura da retina e acuidade visual. A função pulmonar tem sua própria trajetória de declínio com a idade. O mesmo acontece com a saúde cardíaca, a função cognitiva e o olfato, entre muitos outros aspectos. Portanto, não existe uma curva única ou global da saúde, mas várias, e todas têm formas distintas: algumas declinam numa trajetória constante, quase linear, enquanto outras são mais curvas, mostrando uma taxa de declínio acelerada. Além disso, deixando de lado as diferenças de grupo, alguns indivíduos são mais saudáveis do que outros, e alguns são melhores na manutenção da saúde ao longo do tempo, portanto, os intervalos por grupo dizem mais do que as curvas individuais. Mas não importa quais dados específicos de saúde você observe ou quantas curvas você combine, as pessoas de 80 anos são *muito* menos saudáveis do que as de 25 anos.

Até certo ponto, a taxa de declínio da sua saúde física depende de você. Quanto melhor você mantiver sua saúde, menos acentuado será seu declínio. Por exemplo, a curva da função pulmonar para não fumantes é muito mais plana do que a curva para fumantes. Quanto melhor for sua saúde em um determinado ano, mais você poderá aproveitar suas experiências naquele ano. Então, sim, sua saúde vai decair, mas você tem alguma influência sobre esse declínio! Isso é bom, porque quanto mais cuidamos da nossa saúde ao longo da vida, mais pontos de realização obtemos. Mas não se iluda: não importa quanto você cuide do seu corpo, você não terá uma saúde melhor aos 65 anos do que aos 25 (supondo que você tenha uma saúde normal aos 25).

No âmbito pessoal, passei a tomar minhas decisões de forma ainda mais calculada a respeito do que fazer e quando. Outro dia, eu e meus amigos alugamos um barco e pensei que poderíamos praticar um pouco de wakeboard, que é igualzinho ao snowboard, só que na água. Aos 50 anos, eu ainda estava em boa forma para fazer isso? Provavelmente. Eu estaria em boa forma daqui a sete anos? Definitivamente não. Era uma situação de agora ou nunca, então decidi ir em frente. Afinal, não quero chegar ao fim da vida e, já sem saúde, perceber que havia coisas que eu queria ter feito e não fiz quando podia.

Nossa capacidade de desfrutar das experiências — e a quantidade delas — depende da saúde, sim, mas o dinheiro também desempenha um papel importante, já que custeia a maioria delas. Desse modo, é melhor gastar o dinheiro enquanto ainda temos saúde, certo?

A questão é a seguinte: muitos de nós ainda nos vemos como se tivéssemos 20 e poucos anos, embora nossa idade real esteja em algum lugar entre 50, 60 ou mesmo 70 anos. Embora seja admirável ver a si mesmo como "jovem de cabeça", também é necessário ser mais realista e objetivo a respeito do corpo e seu envelhecimento. É preciso estar atento e consciente de seus limites físicos e de como eles avançam sem parar à medida que você envelhece, quer você goste ou não.

Comecei a pensar nessas coisas depois do episódio em que dei 10 mil dólares para minha avó e descobri que ela simplesmente não conseguia gastar. Tudo o que ela queria comprar naquele momento era um suéter para mim. Comecei a notar o mesmo tipo de coisa acontecer com outros parentes mais velhos e pensei: *estes são meus ancestrais, então provavelmente também ficarei assim em algum momento.* E me ocorreu que todo mundo acaba ficando assim. À medida que envelhecemos, nossa saúde piora e nossos interesses diminuem gradualmente,[4] bem como o desejo sexual e a criatividade. E, no caso de pessoas extremamente idosas e frágeis, não importa qual seja o seu nível de interesse, tudo que lhes resta é sentar e comer pudim. Nesse ponto, o dinheiro é inútil, porque tudo que elas precisam ou querem é ficar deitadas assistindo TV. Por fim, cheguei à seguinte conclusão: a serventia, ou a utilidade, do dinheiro diminui com a idade.

Também ficou claro para mim que o declínio não começa desde o nascimento. Quando somos crianças, extraímos muito pouco prazer do dinheiro. Cuidar de bebês é caro, é verdade, mas não é porque eles gostam muito de gastar dinheiro. Quando você é bebê, não há felicidade maior do que sua mãe e o berço. De certa forma, a quantidade de proveito que os bebês obtêm do dinheiro é muito semelhante à que os idosos obtêm. O dinheiro é quase inútil no início e no final da vida.

O que acontece nesse meio-tempo? Quando eu tinha 20 e poucos anos, sempre conseguia encontrar coisas novas para fazer com dinheiro. É uma fase em que o dinheiro tem muita serventia. Então, quando olhei para esses três períodos — o do bebê, o dos 20 e poucos anos e o da pessoa idosa —, percebi que *devia existir uma curva*. Em outras palavras, se o eixo horizontal de um gráfico representa a idade, e o eixo vertical representa a capacidade de desfrutar experiências de vida que o dinheiro pode comprar, então teríamos algum tipo de curva ao traçar o prazer potencial desfrutado por cada faixa etária. Pense da seguinte forma: com a mesma quantia a cada ano (digamos 100 mil dólares), você será capaz de extrair muito mais prazer desse dinheiro em determinados momentos da vida em comparação a outros. A utilidade do dinheiro muda com o tempo, e isso acontece de uma forma bastante previsível: a partir dos 20 anos, sua saúde começa a decair de forma muito sutil, causando um declínio correspondente em sua capacidade de usufruir dele.

Capacidade de desfrutar de experiências com base na saúde

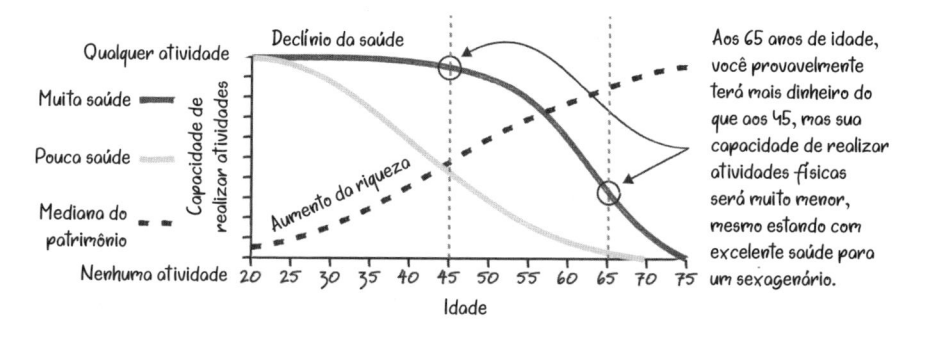

Gráfico: Capacidade de realizar atividades (eixo Y: Nenhuma atividade, Mediana do patrimônio, Pouca saúde, Muita saúde, Qualquer atividade) versus Idade (eixo X: 20, 25, 30, 35, 40, 45, 50, 55, 60, 65, 70, 75). Curvas: Declínio da saúde, Aumento da riqueza.

Anotação: Aos 65 anos de idade, você provavelmente terá mais dinheiro do que aos 45, mas sua capacidade de realizar atividades físicas será muito menor, mesmo estando com excelente saúde para um sexagenário.

A saúde de todos diminui com a idade. A riqueza, por outro lado, tende a crescer ao longo dos anos, uma vez que as pessoas poupam cada vez mais. A questão é que a decadência da saúde de um modo geral restringe gradualmente o aproveitamento dessa riqueza, à medida que se torna impossível desfrutar de cada vez mais atividades físicas, não importa quanto dinheiro você tenha para gastar com elas.

Essa percepção imediatamente sugere implicações práticas: se a sua capacidade de desfrutar as experiências da vida é maior em algumas idades do que em outras, então faz sentido gastar mais dinheiro em certas idades do que em outras! Por exemplo, como 100 mil têm mais valor aos 50 anos do que aos 80, e sua meta é maximizar o aproveitamento do dinheiro e da vida, é do seu interesse transferir pelo menos parte desse dinheiro dos 80 para seus 50 anos. Pela mesma razão, é do seu interesse utilizar parte dele também para os 20, 30 e 40 anos. Fazer esse tipo de ajuste financeiro de forma consciente na prática cria um plano de gastos para a vida toda, levando em conta a forma como a serventia do dinheiro muda com o tempo.

Sempre que você faz ajustes para *gastar* dinheiro, você necessariamente também está ajustando quando *economizar*. Assim, por exemplo, em vez de poupar 20% da sua renda ao longo dos anos de trabalho, algumas pessoas fariam melhor se não poupassem quase nada aos 20 e poucos anos (como já discutimos) e depois aumentassem de forma gradual a sua taxa de poupança no final dos 20 e 30 anos, à medida que sua renda começa a aumentar. Depois, deveriam poupar ainda mais de 20% quando chegarem aos 40 anos — e depois reduzir a sua poupança para que em certo ponto (como explicarei no próximo capítulo) efetivamente comecem a gastar mais do que a sua receita.

Veja como estou tendo o cuidado de dizer que seria melhor para *algumas* pessoas. A situação de cada pessoa é diferente. Por exemplo, as atividades preferidas de algumas, como apenas caminhar, por exemplo, são baratas. Outras não exigem boa saúde física. Quanto você deve economizar também depende da rapidez com que sua renda cresce de ano para ano, de onde você mora e da rapidez com que suas economias engordam. Por conta de todas essas variáveis e de todas as combinações possíveis que elas produzem, não existe uma regra única que sirva para todos.

Eis a questão: faz sentido gastar mais dinheiro em algumas idades do que em outras, por isso faz sentido ajustar seu saldo de gastos para economizar de acordo ao longo dos anos.

Os verdadeiros anos dourados

Todos nós ouvimos — como formigas trabalhadoras e dedicadas — que precisamos economizar dinheiro para os nossos "anos dourados" de aposentadoria. Mas, ironicamente, os verdadeiros anos dourados — o período com o máximo potencial de proveito, porque temos mais saúde e riqueza — ocorrem sobretudo *antes* da tradicional idade de aposentadoria aos 65 anos. E esses verdadeiros anos dourados são quando deveríamos estar gastando mais, e não adiando nossas recompensas.

Muitas pessoas cometem o erro de investir no próprio futuro muito além do ponto em que esses investimentos serão recompensados de forma a aumentar a realização pessoal geral ao longo da vida. Mas por que elas continuam agindo assim? Acho que muito disso se deve apenas à inércia (ou, como eu chamo, piloto automático) de seguir fazendo o que funcionou no passado. Às vezes é melhor gastar agora, e outras vezes é melhor economizar (e investir) seu dinheiro para uma experiência potencialmente melhor no futuro.

Em casos extremos, isso é fácil de observar: obviamente, se você continuar guardando dinheiro sem gastar nada, sua curva de realização será mínima. E se você gastar todo o seu dinheiro agora, não terá nenhum para o futuro. É a história da Formiga e a Cigarra, tal como vejo a fábula: existem momentos para trabalhar (e poupar) e momentos para brincar, e a vida ideal requer planejamento tanto para sobreviver quanto para aproveitar. A cigarra está tão focada em aproveitar, em se divertir no presente, que se esquece da sobrevivência e acaba vivendo uma vida muito curta. Mas a formiga também está cometendo um grande erro: como resultado de seu trabalho árduo, ela viverá outro ano, sim, mas seu excesso de preocupação com a sobrevivência a impede de aproveitar o verão e curtir a vida. Nenhum desses extremos está ajustado para uma vida realizada.

Entender esse ensinamento é uma coisa, mas colocá-lo em prática é outra história. A qualquer momento da vida é sempre difícil saber o melhor caminho a seguir. O equilíbrio ideal entre poupar e gastar não é nada óbvio. Se você passou décadas economizando e investindo seu dinheiro de forma disciplinada, pode ser difícil parar — supondo que você saiba que deve parar.

Então, o que fazer? Como obter uma dinâmica de vida mais equilibrada? Bem, sugiro várias maneiras de pensar sobre este problema. Dependendo de quem você é e de como pensa, caminhos diferentes podem fazer sentido para você.

Equilibrando saúde, dinheiro e tempo ao longo da sua vida

Pense nos três princípios básicos que as pessoas precisam para aproveitar a vida ao máximo: saúde, tempo livre e dinheiro. O problema é que essas coisas raramente acontecem ao mesmo tempo. Os jovens tendem a ter saúde abundante e bastante tempo livre, mas em geral não têm muito dinheiro. Os aposentados na casa dos 60, 70 ou mais — o outro extremo do espectro — têm muito tempo livre (e muitas vezes mais dinheiro do que os jovens), mas, infelizmente, têm menos saúde e, portanto, uma menor capacidade de aproveitar do que os jovens.

O que acontece entre esses dois extremos? Penso nesse período como os verdadeiros anos dourados, porque eles geralmente incluem uma boa combinação de saúde e riqueza. Por exemplo, uma pessoa de 35 anos ainda é saudável o suficiente para fazer a maioria das coisas que uma pessoa de 25 anos pode fazer, mas normalmente ganha muito mais. Uma pessoa de 40 anos (e, mais ainda, de 50) geralmente tem uma saúde ligeiramente pior do que uma pessoa de 30 anos, mas ainda em um grau bastante elevado — e, geralmente, uma renda mais elevada do que a de uma pessoa de 25 ou 35 anos. Portanto, as pessoas nesta idade intermediária, nem muito jovens nem muito velhas, normalmente têm um problema diferente: elas enfrentam uma crise de tempo, especialmente se tiverem filhos em casa. Essa crise é o maior obstáculo para ter experiências positivas. Não que os filhos não tragam muitas delas, e de fato trazem, mas, entre trocar fraldas, levá-los para suas várias aulas e treinos e cuidar de uma família maior, simplesmente sobra menos tempo para outras experiências. O mesmo se aplica se você não tem filhos, mas acaba trabalhando mais horas para ganhar dinheiro do que quando tinha 20 anos.

Para obter as experiências de vida mais positivas em qualquer idade, você deve equilibrar sua vida, e isso exige que você troque um recurso que possui em abundância para obter mais de um recurso que está escasso.

Ajustando o equilíbrio entre saúde, dinheiro e tempo livre

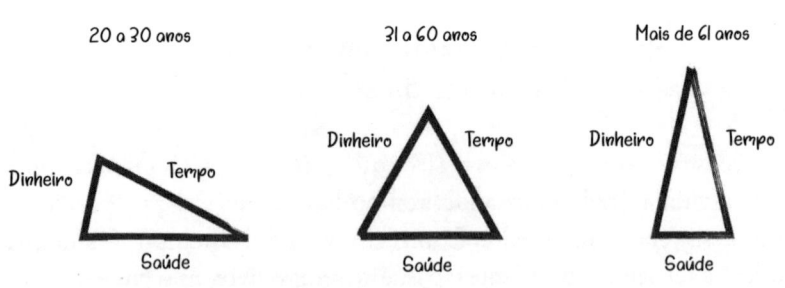

20 a 30 anos / 31 a 60 anos / Mais de 61 anos

Dinheiro — Tempo — Saúde

Cada idade tende a ter um equilíbrio diferente entre saúde, dinheiro e tempo livre. Como chegar a uma vida realizada exige quantidades razoáveis de todos os três, é uma boa ideia, em todas as idades, negociar a abundância de um (como dinheiro) para obter mais dos outros dois (como comprar mais saúde ou tempo livre).

Todos os grupos já fazem isso em certa medida, embora eu acredite que muitas vezes errem na dose. Os jovens trocam o seu tempo abundante por dinheiro, por vezes até demais; a maioria deveria valorizar mais o tempo livre. Os idosos gastam muito dinheiro tentando melhorar a saúde ou, pelo menos, combater doenças. As pessoas na meia-idade por vezes trocam dinheiro por tempo e quanto mais dinheiro têm, mais deveriam usá-lo para ganhar tempo.

A maioria dos trabalhadores se concentra demais em conseguir mais dinheiro. Deixe-me explicar por que focar na saúde e no tempo livre trará mais realização pessoal.

Por que sua saúde é mais valiosa que seu dinheiro?

Independentemente da idade, nada tem um efeito maior em nossa capacidade de desfrutar de experiências do que a saúde. Na verdade, a saúde é muito mais valiosa do que o dinheiro, porque nenhuma soma é capaz de compensar uma saúde muito ruim — ao passo que as pessoas com boa saúde, mas com pouco dinheiro, ainda podem ter muitas experiências maravilhosas.

E isso não é verdade apenas no caso extremo de se ter uma saúde péssima. O simples fato de estar bastante acima do peso pode prejudicar sua alegria de viver, mesmo que seja apenas por causa de toda a pressão extra que o peso adicional exerce. Aposto que você conhece pessoas que, por causa de problemas nos joelhos, fraqueza muscular ou simplesmente porque sentem vergonha em relação ao próprio corpo, evitam muitas experiências de um modo geral prazerosas, como caminhar, praticar tirolesa ou deliciar-se com a água e o sol na praia. Ou então elas até topam fazer uma caminhada, mas estão bufando e sofrendo, fazendo um esforço enorme para extrair qualquer tipo de prazer daquela atividade potencialmente divertida. Algumas dessas pessoas podem até ter sido atletas quando eram mais jovens, mas tornaram-se sedentárias e continuaram a ganhar peso até ficarem 30 ou 50 quilos acima do ideal. Esse é um cenário muito comum, especialmente para quem trabalha em empregos que consomem a maior parte do tempo e da energia, e que exigem que as pessoas fiquem sentadas em frente ao computador o dia todo. Mas eu pergunto: que sentido há nisso? Quando todo esse trabalho enfim trouxer retorno financeiro, você ainda terá saúde (o ingrediente-chave) para desfrutar desse sucesso?

Os profissionais de saúde entendem a questão melhor do que ninguém, afinal, eles acompanham o sofrimento de muitos pacientes. Mas mesmo as pessoas que trabalham na área não estão imunes a negligenciar a própria saúde. Vou dar apenas um exemplo, este com final feliz. Stephen Stern é um quiroprata de Massachusetts. Apesar de tratar da dor de pacientes por décadas, durante anos ele mesmo lutou contra a obesidade, com o peso oscilando em um permanente efeito sanfona. Stern fazia exercícios e emagrecia um pouco, mas depois parava de se exercitar e ganhava todo o peso de volta, perdendo qualquer condicionamento físico que havia trabalhado duro para alcançar.[5]

Aos 59 anos, Stern finalmente percebeu que não poderia continuar daquele jeito. Não se quisesse evitar ter o mesmo destino que alguns de seus pacientes menos afortunados. O caso de Stern ficou conhecido pela mídia local e uma matéria a respeito dele dizia: "Ele atendeu pacientes de sua idade ou menos que perderam a capacidade de fazer coisas que amavam, não só por causa de lesões ou doenças, mas muitas vezes por simples negligência com seus corpos. Stern sabia que quando as pessoas nesta fase da vida perdiam as capacidades físicas, muitas vezes nunca mais as recuperavam."

Portanto, Stern estava determinado a recuperar a boa forma antes dos 60 anos. Optou, então, por um caminho mais gradual do que havia feito no passado. Seu corpo não aguentava mais os intensos regimes de treinamento aos quais ele se submetera na juventude, mas ainda assim ele foi capaz de recuperar bastante a boa forma por meio de caminhadas e exercícios calistênicos. Essa abordagem lenta, mas constante, funcionou: as antigas dores nos joelhos desapareceram e, aos 66 anos, Stern descobriu que conseguia alcançar feitos impressionantes de força e equilíbrio, como plantar bananeira com os joelhos dobrados. Seus esforços para melhorar a forma física renovaram sua confiança e habilidades, gerando experiências alegres que de outra forma não seriam possíveis, como escalar montanhas com sua filha. Embora agora possa fazer coisas que a maioria das pessoas de 30 anos não consegue, Stern sabe que nunca estará tão em forma quanto uma pessoa de 30 anos. O que ele realmente conseguiu foi a saúde máxima possível para a sua idade. "Sou um homem mais velho e me movimento da forma que um homem mais velho consegue se movimentar!"

Exemplos como o de Stephen Stern são inspiradores; todos nós queremos ouvir que nunca é tarde demais. Mas não é por isso que estou contando essa história. A verdade é que às vezes é, sim, tarde demais para reverter décadas de negligência e exageros, um recado que Stern entendeu. E, mesmo quando não é tarde, é sempre melhor ter começado a investir na saúde o mais cedo possível. Na verdade, o que estou tentando dizer é que uma saúde melhor deixa tudo em nossa vida melhor, e torna cada experiência mais agradável, em todas as idades.

Em nosso modelo de tripé — onde a realização de uma única experiência é uma função que combina saúde, dinheiro e tempo livre —, a saúde é o principal fator (ou fator multiplicador) que afeta o tamanho da curva de realização de uma pessoa ao longo da vida: nossas simulações mostram que mesmo uma pequena redução permanente na saúde em algum momento da vida equivale a uma grande redução na pontuação de realização pessoal.

Por que isso acontece? Por que a saúde afeta mais a realização ao longo da vida do que o tempo livre ou o dinheiro? Ao ajustar seu nível de saúde, estamos ajustando a taxa de declínio do seu corpo. A rapidez com que a saúde do seu corpo diminui depende de quão em forma (ou não) você está agora. Portanto, se você está 2% abaixo da saúde ideal hoje, poderá estar 20% da saúde ideal daqui a 10 ou 15 anos. Basicamente, há um efeito agravante em estar com a saúde debilitada. Não sou médico, mas aqui está um exemplo de como vejo isso funcionando e como isso afeta o seu prazer nas atividades.

Digamos que você esteja 5 quilos acima do peso. Isso não parece tão ruim a princípio, mas cada quilo de excesso de peso significa quatro quilos extra de força aplicada sobre os joelhos. Dez quilos de excesso de peso equivalem a 40 quilos de excesso de força que seus joelhos não foram projetados para suportar. Naturalmente, com o tempo, a cartilagem dos joelhos irá se deteriorar e romper, e talvez os seus ossos comecem a roçar uns nos outros. Seus amortecedores naturais estão desgastados, tornando doloroso caminhar por longos períodos, e correr é praticamente insuportável. Isso leva a mais ganho de peso e outros problemas associados. Não é de admirar que a artroplastia total de joelho seja uma das cirurgias que mais cresce nos Estados Unidos, acompanhando de perto o aumento da obesidade. Em qualquer caso, esses 5 quilos que pareciam não ter importância se tornaram bastante prejudiciais, refletindo em outros problemas graves de saúde e na falta de prazer nas atividades associadas à caminhada.

Como afirmei antes, movimento é vida, e suas experiências diminuirão consideravelmente quando seus movimentos se tornarem dolorosos ou limitados. Existem muitas formas de deterioração da saúde até a morte. Todos desejamos ter a melhor função física até lá, mas muitos vamos experimentar uma decadência exponencial maior muito cedo — resultando em menor capacidade e menor prazer — graças à forma com que cuidamos do corpo. Dizem que Einstein considerava os juros compostos como a maior força do universo. Pequenas mudanças em nosso estilo de vida podem levar a um agravamento *negativo* com enormes impactos em nossa realização pessoal e nossos pontos de experiência.

A boa notícia: se você der pequenos passos para melhorar sua saúde agora mesmo (melhorando apenas 1% e evitando o agravamento pela composição dos efeitos negativos), aumentará em muito seu total de pontos de experiência.

Há uma implicação clara nesta observação, e é algo que você sem dúvida já ouviu antes: pessoas de todas as idades deveriam gastar mais tempo e dinheiro com a saúde. Nenhuma faixa etária gasta mais com a saúde do que os idosos, mas, na verdade, começar a fazer isso desde cedo possibilita uma maior realização ao longo da vida. Medidas preventivas, como se alimentar bem e fortalecer os músculos, ajudam você a manter sua saúde tão boa quanto possível pelo maior tempo possível — e tornam todas as experiências mais agradáveis de modo geral. Não me refiro apenas a poder esquiar até os 70 anos em vez de ter que se contentar com o dominó ou poder optar pelo tênis em vez do tênis de mesa. Não, mesmo as atividades cotidianas mais simples, como subir e descer escadas, levantar-se de uma cadeira ou carregar sacolas de compras, tornam-se mais fáceis e agradáveis quando você está fisicamente apto e não carrega excesso de peso corporal sobre ossos e músculos fracos. Basta pensar: a rapidez com que você se cansa em um dia de passeio, praticando snowboard, ou em uma brincadeira com crianças, terá um impacto óbvio na sua quantidade de diversão naquele dia. Agora multiplique isso por todos os seus potenciais dias futuros e bingo!

É por isso que adoro fazer apostas vinculadas a objetivos de saúde — o tipo em que aposto uma quantia ridícula de dinheiro que um amigo não conseguirá correr uma maratona, ou não conseguirá perder certa quantidade de peso. Já fiz mais apostas desse tipo do que você pode imaginar e adoro quando essas oportunidades surgem, porque o valor de ver alguém alcançando metas de saúde capazes de mudar a vida é muito maior do que qualquer dinheiro perdido na aposta. Um caso recente que está entre meus favoritos (apesar de eu ter perdido a aposta) envolveu dois jovens que conheço do mundo do pôquer, os irmãos Jaime e Matt Staples. Jaime era obeso e não fazia segredo de suas tentativas anteriores de perder peso; já Matt estava um pouco abaixo do peso e queria ganhar músculos. Para motivar os dois, fiz uma aposta única: eu pagaria uma grande quantia se, em exatamente um ano, os dois atingissem o mesmo peso (tecnicamente, se ficassem a menos de meio quilo um do outro).

Para minha surpresa, a transformação deles foi incrível: o peso de Jaime caiu mais de 45 quilos, enquanto Matt ganhou mais de 25 quilos, grande parte em músculos. As fotos do antes e depois estão por aí pela internet.[6] Obviamente, eles ficaram felizes por ganhar e orgulhosos do seu feito, mas, mesmo que tivessem perdido a aposta depois de chegarem perto, a perda monetária (apenas um quinquagésimo da minha aposta, já que definimos as probabilidades em 50 para 1) teria compensado os benefícios de uma saúde melhor, especialmente por serem tão jovens. Jaime e Matt terão muitos anos para desfrutar de uma vida mais proveitosa graças a esse novo padrão. Uma saúde melhor não proporciona apenas uma aposentadoria melhor daqui a alguns anos: investir na sua saúde é investir em cada experiência que virá depois!

Não subestime seu tempo

A meu ver, outra grande oportunidade para criar uma vida mais equilibrada é trocar dinheiro por tempo livre — uma tática que geralmente tem maior impacto na meia-idade, quando se tem mais dinheiro do que tempo. O exemplo clássico é a lavanderia, uma tarefa semanal demorada que a maioria das pessoas odeia fazer e que, em muitos lugares, pode ser feita de forma barata por um serviço externo especializado.

Vamos lá. Suponha que você ganhe 40 dólares por hora, e que lavar as roupas tome duas horas por semana, porque você é lento e ineficiente na tarefa. Um serviço profissional que possui equipamentos melhores e lava roupas o dia todo, todos os dias, é muito mais eficiente do que você e pode ser lucrativo mesmo custando 50 dólares ou quase isso. Vale a pena gastar esse valor por semana em um serviço que coleta a roupa suja e a entrega limpa e bem dobrada? Com certeza, porque a 40 dólares por hora, duas horas do seu tempo valem 80 dólares. Isso se aplica mesmo quando você não está usando seu tempo para ganhar dinheiro. O tempo livre pode ser usado para levar seus filhos ao parque, ou para ler um livro, ou para encontrar um amigo para almoçar, ou qualquer outra coisa que você goste de fazer mais do que lavar roupa.

Lavar roupas é apenas um exemplo — a mesma lógica se aplica a qualquer tarefa indesejável, como limpar a casa. Para mim, terceirizar tarefas sempre pareceu algo óbvio, tanto que comecei a fazer isso aos 20 e poucos anos, quando minha renda era muito menor. Eu preferia passar uma manhã de sábado andando de patins no Central Park e tomar um brunch no Sarabeth's em vez fazer faxina no apartamento. Hoje eu agradeço a Deus por ter escolhido gastar esse dinheiro, porque agora tenho lembranças duradouras de muitos finais de semana maravilhosos.

Quanto mais dinheiro você tiver, mais deveria usar essa tática, porque o tempo é muito mais escasso e finito do que o dinheiro. Estou sempre trocando dinheiro por tempo. Nunca terei mais de 24 horas por dia, mas posso fazer todo o possível para liberar ao máximo esse tempo finito.

Isso não vem apenas da minha experiência pessoal ou da teoria econômica. Pesquisas em psicologia corroboram: pessoas que gastam dinheiro em coisas que economizam tempo experimentam maior satisfação com a vida, independentemente de qual seja sua renda.[7] Em outras palavras, não é preciso ser rico para aproveitar os benefícios de gastar dinheiro para ter tempo livre. Em um experimento, um grupo de adultos trabalhadores recebeu uma quantia para gastar em uma compra que economizasse tempo enquanto outro recebeu a mesma quantia para gastar em uma compra material. Os pesquisadores começaram a entender por que as pessoas que gastam dinheiro para economizar tempo são mais felizes: eles perceberam que o uso de serviços que economizam tempo reduz a pressão do tempo, e a redução dessa pressão melhora o humor da pessoa naquele dia. Caso sejam feitas repetidamente, essas melhorias diárias no humor elevam a satisfação geral com a vida.

Faz sentido para mim, mas também acho que há algo além. Penso o seguinte: se pagamos para deixar de fazer tarefas que não gostamos, estamos simultaneamente reduzindo o número de experiências negativas e aumentando o número de experiências positivas (para as quais agora teremos mais tempo). Como não sermos mais felizes com essa estratégia?

Talvez você perceba, com algum pesar, que errou nesse equilíbrio. Por exemplo, digamos que você tem agora 35 ou 40 anos e, aos 20 anos, gastou todo o seu tempo ganhando dinheiro e, portanto, perdeu muitas experiências excelentes. Embora você nunca recupere esses anos, dá para tentar reequilibrar a vida já. Foque verdadeiramente em começar a viver mais experiências agora, enquanto sua saúde ainda é muito boa, e em gastar mais do que uma pessoa da sua idade que *não* trocou todo aquele tempo por dinheiro. Para cada momento existe uma experiência ideal a ser vivida.

Sua taxa de juros particular

Você deve se lembrar que, segundo meu argumento, a capacidade de extrair prazer do dinheiro diminui com a idade, certo?

Bem, a consequência disso é que quanto mais velho você for, mais alto é o valor que devem lhe pagar para adiar uma experiência. Esse valor é o que chamo de *taxa de juros particular*, que aumenta com a idade. Essa ideia faz sentido facilmente para quem trabalha no setor financeiro, visto que essas pessoas estão habituadas a pensar em taxas de juros e no valor do dinheiro no tempo.

Vamos supor que você tenha 20 anos. Nessa idade, você pode esperar um ou dois anos para viver uma experiência, porque normalmente poderá ter a mesma experiência mais tarde. Portanto, sua taxa de juros particular é baixa e ninguém precisa pagar muito para que você esteja disposto a adiar a experiência. Digamos que você queira fazer uma viagem ao México neste verão, mas seu chefe diz: "Eu realmente preciso de você aqui nesse período. Sei que você queria muito ir, mas será que você cogitaria adiar essa ida ao México? Eu pago X por cento do custo da sua viagem para compensar." Ok, oferta interessante. Então, qual seria o valor de X para você concordar? Dez por cento? Vinte e cinco por cento?

Agora, vamos supor que você tenha 80 anos. Nesse ponto, adiar uma experiência se torna muito mais caro, então o valor de X teria que ser muito maior do que quando você tinha 20 nos. Mesmo que alguém lhe pagasse 50 por cento do preço da viagem para adiá-la, você não necessariamente deveria aceitar a oferta, visto que sua taxa de juros particular aos 80 anos pode ser maior do que 50 por cento. Maior até do que 100 por cento.

E o que acontece se você estiver com uma doença terminal? Depois que você sabe que não estará vivo daqui a um ano, sua taxa de juros particular ultrapassa o teto de qualquer gráfico. Não há dinheiro no mundo que justifique postergar uma experiência valiosa.

Está claro, portanto, que a taxa de juros particular aumenta com a idade. O problema é que infelizmente nem sempre agimos com isso em vista. Se esse conceito funcionar para você, mantê-lo em mente quando estiver pensando em comprar uma experiência pode ajudar a decidir se vale a pena gastar o dinheiro agora ou guardá-lo para outra hora.

O que você prefere?

Se a ideia da taxa de juros particular não for suficiente, você pode pensar as experiências em termos de múltiplos simples. O famoso teste do marshmallow, criado para crianças em idade pré-escolar pelo psicólogo Walter Mischel, em Stanford, na década de 1960, é estruturado da seguinte forma: você prefere comer um marshmallow agora ou comer dois daqui a 15 minutos? Muitas crianças de 3 anos podem dizer que preferem comer dois marshmallows em 15 minutos, mas quando aquele marshmallow delicioso e tentador está na frente delas, muitas não aguentam esperar. Os adultos geralmente têm uma capacidade melhor de adiar a gratificação, muitas vezes até o ponto em que adiar a gratificação não é mais útil para eles. Na verdade, essas pessoas estão optando não por um marshmallow agora ou dois marshmallows em 15 minutos, mas por um marshmallow e meio dez anos depois!

Quando apresentado dessa forma, o erro parece óbvio, não é? Então, como aplicar essa lógica às suas decisões sobre gastos? Quando você se deparar com uma escolha, como fazer uma viagem nas próximas férias ou economizar dinheiro para outro momento, pergunte a si mesmo: *Prefiro fazer uma viagem agora ou duas viagens desse tipo daqui a X anos?* Agora vejamos como descobrir o valor de X. Sempre que você tiver alguma renda extra — sejam 10, 100 ou mil dólares a mais — você tem uma escolha: gastar o dinheiro agora ou guardá-lo para mais tarde. Optando pela segunda, há potencial para o dinheiro crescer, porque, a menos que você o coloque debaixo do colchão, estará investindo em algo que certamente promete um retorno acima da taxa de inflação. A taxa de juros ajustada pela inflação é chamada de "juros reais".

Quanto mais você deixar o investimento crescer, mais dinheiro você terá — então, depois de alguns anos, seu montante principal (100 dólares, por exemplo) poderá dobrar ou mesmo triplicar. A taxa de juros reais varia, mas tomemos o exemplo de um crescimento anual de 8%. (Isso é um pouco mais do que o retorno médio do mercado de ações[8] desde o início de suas operações e também após o ajuste pela inflação.) A essa taxa, seus 100 dólares se tornam 147 dólares em cinco anos. Em dez anos, esse valor chega a 216 dólares — mais do que o suficiente para comprar duas das experiências que você pensou em comprar agora.

A questão é: você deveria esperar de nove a dez anos para ter duas das experiências que poderia ter hoje? Isso é totalmente com você, e sua resposta vai depender muito do tipo de experiência desejada. Para que você considere escolher uma experiência agora em vez de duas ou mais depois, a experiência deve ser tal que possa ser replicada. (Eventos únicos na vida, como casamentos e formaturas de familiares e melhores amigos, obviamente não podem.) Você também deve pensar se a experiência pode realmente ser melhor se você a adiar: às vezes, ao esperar, você pode usar o dinheiro extra para comprar uma versão bem melhor da mesma experiência. Posso dizer, por exemplo, que curtir Las Vegas aos 40 anos é muito melhor do que ir para Las Vegas aos 20, supondo que você tenha melhorado bastante de vida duas décadas depois. É como se fossem duas Las Vegas diferentes. Não estou dizendo que um jovem de 20 anos não deveria ir para Las Vegas, mas sim que há momentos para adiar a gratificação, porque isso vai render a você mais pontos de experiência de vida.

Portanto, tudo depende da experiência que você quer ter. De modo geral, acho que você descobrirá isso ao se perguntar: *O que eu prefiro?* Você naturalmente vai escolher adiar quando for mais jovem e evitar adiar quando for mais velho. Se você tem 20 e poucos anos, sua resposta provavelmente será que está disposto a esperar. Por quê? Porque dez anos depois, é provável que você ainda tenha boa parte da sua saúde atual, e duas viagens são melhores do que uma. Mas se você tem 70 anos, provavelmente não vai querer esperar até os 80! O declínio da sua saúde — o que significa que a experiência pode não estar disponível para você caso adie — diz que a hora de viver a experiência é agora.

Então, veja que pensar na pergunta *"O que eu prefiro?"* na prática acaba chegando ao mesmo problema que a taxa de juros particular: quanto mais velho você fica, menos disposto a adiar uma experiência você se torna, mesmo que alguém lhe pague muito dinheiro para isso.

Focando na realização máxima: apresentando o aplicativo *Die with Zero*

Ao longo deste capítulo, falei sobre equilibrar os gastos e as economias que você faz ao longo da vida. Já expliquei em termos gerais os benefícios de transferir os gastos para mais ou menos as idades certas. E você entendeu os três fatores que mais afetam sua capacidade de aproveitar a energia vital: saúde, tempo livre e dinheiro. Mas se o seu objetivo é *maximizar* o proveito que tira das experiências ao longo da vida, vai precisar descobrir exatamente quanto gastar por ano, um número que varia de acordo com as circunstâncias de cada pessoa.

Para encontrar esse valor, eu precisava de um algoritmo que levasse em conta as circunstâncias individuais de cada pessoa e executasse uma série de cálculos para determinar o plano de gastos ideal para ela. Fico feliz em dizer que, com a ajuda de um economista, desenvolvi um aplicativo que faz exatamente isso. Mas é claro que usá-lo não é obrigatório para quem deseja tirar o melhor proveito da energia vital — é perfeitamente possível fazer isso apenas seguindo os conselhos deste livro. Ele poderá ajudar quem quer otimizar ainda mais — ou seja, quem quer fazer uso de *toda* a energia vital disponível.

Recomendações

- Pense a respeito da sua saúde física atual: que experiências de vida você pode ter agora que talvez não possa ter mais tarde?
- Pense em uma maneira pela qual você pode investir seu tempo ou dinheiro para melhorar sua saúde e, assim, melhorar todas as suas futuras experiências de vida.
- Busque melhorar seus hábitos alimentares. Dos muitos livros que já li sobre o assunto, um que conheço bem e sempre recomendo é *Eat to live* [Comer para viver], do médico Joel Fuhrman.

- Pratique mais das atividades físicas que você já gosta (como dançar ou caminhar). Isso vai ampliar sua capacidade de aproveitar experiências futuras.
- Se a sua capacidade de aproveitar experiências é mais limitada pelo tempo do que pelo dinheiro ou pela saúde, pense em diferentes maneiras de gastar algum dinheiro agora para ter mais tempo livre.

7

COMECE A ORGANIZAR O TEMPO EM SUA VIDA

Regra número 7:
A vida como as estações do ano

Quando minhas filhas eram pequenas, adorávamos assistir ao filme *Pooh e o Efalante*. Acho que é o filme infantil mais maravilhoso que existe, uma história fofa e inocente sobre amizade. Nós assistimos juntos muitas e muitas vezes. Mas então, um dia, quando minha filha mais nova tinha 10 anos, sugeri que assistíssemos ao filme de novo e, para minha surpresa, ela simplesmente não estava mais interessada. De repente, ela se achava velha demais para aquilo!

Se alguém tivesse me dito que naquela data minha filha deixaria de querer assistir ao filme do efalante, provavelmente eu teria assistido muito mais vezes com ela. Infelizmente, na vida real raramente conseguimos saber a data exata em que não seremos mais capazes de fazer algo: essas coisas simplesmente vão deixando de existir. E até que elas desapareçam, não damos muita atenção ao seu sumiço gradual, se é que damos alguma atenção, ponto. Acreditamos que certas coisas vão durar para sempre. Mas é claro que isso não é verdade. É triste se dar conta desse fato, sim, mas há boas notícias: perceber que as coisas não duram para sempre, que tudo desaparece e morre em algum momento, pode fazer você apreciar muito mais tudo que está aqui e agora.

Todo este livro se baseia na verdade nua e crua de que todos morreremos e, à medida que envelhecemos, nossa saúde vai piorar gradualmente. Mas há outra verdade menos óbvia a respeito de "morrer" que tem implicações importantes sobre como você deve viver sua vida: todos nós morremos uma infinidade de mortes ao longo da vida. (Explicarei isso em breve.) Este capítulo explora as implicações práticas desse processo universal, de passar de um estágio da vida para outro. Além disso, também oferece uma ferramenta — conhecida como intervalos de tempo — para você planejar adequadamente suas experiências de vida.

Sem pontos finais claros

Minha experiência com o filme do ursinho Pooh é apenas um exemplo. Por vários anos, eu fui aquele pai que assiste ao filme infantil favorito cercado por seus filhos pequenos. Até que um belo dia essa fase de nossas vidas desapareceu. Ainda estou aqui, é claro, e ainda posso desfrutar de outras experiências com minhas filhas — jogos de futebol e apresentações de dança, por exemplo, ou viajar com elas. Mas um dia elas vão crescer ainda mais e essa versão de mim também desaparecerá.

Da mesma forma, mas por razões ligadas ao inevitável envelhecimento, em algum momento será a última vez que andarei de jet-ski, a última vez que jogarei um torneio de pôquer, e a última vez que poderei embarcar em um avião e voar para algum lugar exótico. Algumas destas últimas experiências virão mais cedo do que outras, mas todas chegarão de forma definitiva em algum momento num futuro (espero que muito) distante.

Não estou tentando ser mórbido, nem é minha intenção falar sobre o assunto de uma forma negativa ou pessimista. O que quero dizer — e esse ponto é importante — é que o dia da minha morte e o dia em que já não poderei desfrutar de certas experiências são duas datas diferentes. E isso vale para todo mundo.

É isso que quero dizer quando falo que morremos muitas mortes ao longo da vida: o adolescente em você morre, o universitário em você morre, o solteirão morre, a sua versão que é pai de uma criança morre, e assim por diante. Depois que cada uma dessas minimortes ocorre, não há como voltar atrás. Talvez o termo "morrer" seja um pouco pesado, mas a ideia é esta: todos nós continuamos avançando, progredindo de um estágio ou fase da vida para o próximo. Sei que isso pode ser meio difícil de encarar, mas pense pelo lado bom: temos muitas vidas para viver, desfrutar e maximizar!

O desafio não está apenas no fato de que não há como voltar atrás. Pense em suas experiências passadas. Quando foi a última vez que você saiu e brincou com seus amigos de infância? Quando foi a última vez que conversou com um professor querido antes de ele morrer? Mesmo que consiga se lembrar da data exata, provavelmente você não sabia o que iria acontecer. Ao contrário dos anos escolares e das viagens de férias, os pontos finais da maioria dos períodos de nossas vidas vêm e vão sem muito alarde. Os períodos podem se sobrepor, mas mais cedo ou mais tarde todos chegam ao fim.

Por isso podemos adiar algumas experiências apenas por um certo tempo antes que a janela de oportunidade para elas se feche para sempre. A melhor analogia que posso imaginar é um conjunto de piscinas diferentes, daquele tipo que vemos em grandes resorts. Geralmente há uma piscina infantil para crianças pequenas, uma piscina com tobogã para crianças mais velhas e adolescentes, uma piscina somente para adultos, talvez até uma piscina para natação, e uma piscina apenas para idosos. Nesses locais você pode entrar em todas as piscinas pelo tempo que quiser, mas somente se seguir as regras específicas de cada piscina.

Assim, se você ainda não aprendeu a nadar quando já estiver velho demais para a piscina infantil, ainda poderá ir para a piscina dos adolescentes e, mais tarde, para a dos adultos. Mas se você não é mais adolescente, nada de tobogã para você! Não importa quão bom nadador você seja, ou o quanto você se arrependa do medo que tinha do toboágua quando era mais novo. Da mesma forma, na vida real, é possível adiar com segurança algumas experiências para um período futuro (certas viagens não feitas ou atividades físicas não praticadas aos 20 anos ainda poderão ser feitas e praticadas aos 30) —, mas nossa capacidade da transferir experiências físicas de um período de tempo para outro é limitada. Na verdade, é mais limitada do que a maioria das pessoas pensa sempre que adia alguma coisa. Algumas agem como se tivessem acesso à piscina infantil e à piscina para adolescentes por toda a vida, ou como se toda a sua vida fosse uma grande piscina que podem usar a qualquer momento. Mas então o tempo passa e de repente elas estão na piscina dos idosos, se perguntando como foram parar lá!

Uma vida sem arrependimentos

Entende o que quero dizer? O problema em lidar com o adiamento excessivo da gratificação e o arrependimento causado por isso não ocorre apenas uma vez, no final da vida. Na verdade, pode acontecer em todos os períodos da vida, desde a época do adolescente que lia muito e perdeu toda a diversão do ensino médio, fazendo muitos sacrifícios em prol de um suposto futuro melhor, até o período do pai de meia-idade que muitas vezes não viveu experiências insubstituíveis com seus filhos adolescentes porque estava lutando sem parar por uma promoção de emprego atrás da outra. Às vezes, as pessoas percebem esse erro pouco antes da janela de oportunidade se fechar — como quando os filhos estão se preparando para deixar o ninho —; em outras, essa compreensão chega quando já é tarde demais para fazer qualquer coisa a respeito, exceto tomar a decisão de fazer melhor no próximo estágio da vida.

Porém, o mais triste é quando essa compreensão só chega no momento em que se está diante da própria mortalidade, quando é realmente tarde demais para mudar qualquer coisa e tudo que resta é fazer as pazes com o passado.

Para aqueles de nós que ainda têm tempo para fazer mudanças e ajustes, pode ser revelador, e motivador, ler ou ouvir sobre os arrependimentos de outras pessoas em seu leito da morte.

É claro que muitos desses arrependimentos são particulares a cada indivíduo, mas se ouvirmos dezenas de histórias de pessoas, padrões comuns tendem a aparecer. Uma mulher australiana chamada Bronnie Ware, cujo trabalho como responsável por cuidados paliativos a colocava junto aos leitos de pessoas com poucas semanas de vida, conversou com seus pacientes sobre o que eles gostariam de ter feito diferente e descobriu que cinco principais arrependimentos apareciam com mais frequência do que quaisquer outros. Como ela descreveu em um popular artigo online e num livro posterior, os dois arrependimentos mais comuns[1] são os mais relevantes para meus argumentos.

O principal arrependimento dos seus pacientes era desejar ter tido a coragem de viver uma vida mais fiel a si mesmos, contrária à vida que os outros esperavam deles. É um arrependimento por não ter perseguido seus sonhos e, portanto, por não ter realizado esses sonhos. Se ignorar o que você de fato valoriza na vida e, em vez disso, seguir um caminho que o resto da sociedade lhe impõe, você corre o risco de chegar ao fim da vida verdadeiramente arrependido. Nos Estados Unidos, uma cultura que tantas vezes valoriza o trabalho árduo e o sucesso material, excluindo outros valores importantes (como lazer, aventura e relacionamentos), é lógico que muita gente chega ao fim da vida desejando sinceramente não ter feito esse tipo de sacrifício. Como diz o velho ditado: "Ninguém se arrepende de não ter passado mais tempo no escritório."

Nesse sentido, o segundo arrependimento — e na verdade o principal entre os pacientes do sexo masculino de Ware — foi esse: "Gostaria de não ter trabalhado tanto." Isso vai ao encontro do que estou defendendo. "Todos os homens de quem cuidei lamentaram profundamente ter passado grande parte de suas vidas na rotina de uma existência profissional", escreve Ware. As mulheres também lamentavam este fato, mas Ware salienta que seus pacientes eram de uma geração mais velha, quando menos mulheres trabalhavam fora de casa. E quando as pessoas dizem que se arrependem de ter trabalhado tanto, elas não estão falando do trabalho árduo de criar filhos, mas sim do ganha-pão para pagar as contas. Uma atividade que, como resultado, as faz deixar de aproveitar "a juventude dos seus filhos e a companhia do seu parceiro ou parceira".

Mas respiremos fundo. Admito que toda essa conversa sobre morte e arrependimentos é meio deprimente. Percebo que, ao tentar conscientizá-lo sobre o que você vai acabar perdendo para sempre, estou provocando uma espécie de sofrimento antecipado. Mas, acredite ou não, pensar no que podemos perder pode, na verdade, nos deixar mais felizes. Um experimento muito revelador com calouros universitários mostra as razões disso.

Uma equipe de psicólogos pediu a um grupo de jovens estudantes para imaginar que eles se mudariam para longe em 30 dias, e solicitou que planejassem os próximos 30 dias com base nisso: seria a última chance em muito tempo para que os estudantes desfrutassem de todas as pessoas e lugares especiais pelos quais criaram gosto durante a faculdade. Em suma, os alunos foram incentivados a aproveitar o tempo que restava no campus. Então os pesquisadores pediram aos alunos que anotassem suas atividades ao longo daquelas semanas.

Para comparação, outro grupo de calouros não foi instruído a imaginar nada ou a aproveitar seus dias de qualquer forma específica; a eles foi pedido apenas que monitorassem e registrassem suas atividades diárias. Adivinha o que aconteceu? Como você pode imaginar, os alunos do primeiro grupo estavam mais felizes ao final dos 30 dias do que os do segundo grupo. Quer eles fizessem mais coisas ou apenas conseguissem extrair mais prazer[2] de tudo o que faziam todos os dias, o mero ato de pensar deliberadamente que estavam desfrutando de um tempo limitado com certeza ajudou.

Qual é a conclusão disso? Estar ciente de que seu tempo é limitado claramente pode motivá-lo a aproveitar ao máximo o tempo que você tem.

Todos nós já experimentamos alguma versão desse efeito ao sair de férias para um lugar onde nunca estivemos. Como turistas, sabemos muito bem que temos apenas uma semana ou o tempo que for em nosso destino, e por isso planejamos com antecedência para garantir o máximo proveito de atrações turísticas, passeios, atividades e outras experiências exclusivas do lugar. Se vamos visitar amigos, passamos bastante tempo com essas pessoas e tentamos saborear cada momento. Em outras palavras, fazemos um esforço total e consciente para tratar o nosso tempo como o recurso escasso que ele é.

Mas isso em geral é bem diferente do que fazemos quando voltamos para casa, onde é muito mais provável não darmos muito valor às atrações cotidianas e rotineiras de nossa cidade natal. Não é apenas porque estamos ocupados com outras responsabilidades e urgências diárias, embora isso também seja verdade, além de ser irrealista alguém viver a vida como se estivesse sempre de férias. Mas é mais do que isso; isso acontece também porque a maioria das pessoas simplesmente sente que não é preciso ter pressa para as coisas que são de casa. Elas agem como se sempre fosse possível visitar aquele museu, aquela praia próxima ou aquele amigo em qualquer outro momento. Como resultado, passamos muitas noites assistindo TV e desperdiçamos fins de semana. Quando algo parece abundante e infinito, a verdade é que nem sempre valorizamos. Mas a verdade é que o tempo disponível para cada fase da vida *não é* tão abundante assim, e certamente não é ilimitado.

Ao contrário de alguns outros tópicos deste livro, a ideia de ter um número finito de fases com um número finito de dias em cada uma não tem nada a ver com dinheiro. Sim, as experiências específicas que você pode ter em cada um desses períodos de tempo *têm a ver* com dinheiro, mas a realidade e as implicações desses períodos finitos não. Todo mundo diz coisas como "Sempre quis fazer essa ou aquela trilha" ou "Sempre quis levar meus filhos a esse ou aquele lugar". Experiências assim existem em todos os níveis de poder aquisitivo. Permita-me sugerir uma ferramenta simples para aumentar a conscientização a respeito das fases da vida, a fim de ajudá-lo a planejar as experiências que você deseja ter ao longo dos anos e, assim, evitar adiamentos em excesso.

Aprenda com seus "intervalos de tempo"

Os *intervalos de tempo* são uma ferramenta simples para descobrir como você deseja que sua vida se desenrole em linhas gerais. Eis o que eu sugiro que você faça. Desenhe uma linha do tempo da sua vida, de hoje até o dia imaginado da sua morte, e depois divida essa linha em períodos de cinco ou dez anos. Cada um deles — digamos, dos 30 aos 40 anos, ou dos 70 aos 75 anos — é um intervalo de tempo.

Em seguida, pense sobre quais experiências-chave (atividades ou eventos) você com certeza gostaria de realizar durante sua vida. Todos nós temos sonhos, mas descobri que é extremamente útil anotar todos eles em uma lista. Não precisa ser uma lista completa; na verdade, ninguém é capaz de saber hoje tudo o que deseja fazer porque novas experiências e novas relações tendem a revelar novos interesses inesperados. A vida, portanto, é toda uma questão de descobertas. Além disso, essa lista será revisitada mais adiante na vida.

De todo modo, tenho certeza de que você já tem algumas ideias sobre quais experiências gostaria de viver em algum momento, algumas talvez mais de uma vez. Por exemplo, você pode querer ter um filho, correr uma maratona, conhecer o Himalaia, construir uma casa, registrar uma patente, abrir um negócio, ser voluntário dos Médicos Sem Fronteiras, jantar em um restaurante estrelado Michelin, ir ao Festival de Cinema de Sundance, esquiar cinquenta vezes, ir à ópera, fazer um cruzeiro até o Alasca, ler vinte romances clássicos, assistir ao Super Bowl ao vivo, competir num torneio de palavras cruzadas, visitar a floresta Amazônica, ver o outono no Canadá, levar os filhos à Disney três vezes, e por aí vai. Você entendeu a ideia. Abuse da criatividade.

Sua lista será única porque as experiências de vida são o que nos faz ser quem somos. Importante: ao fazê-la, não se preocupe com dinheiro. O dinheiro neste momento é apenas uma distração do objetivo geral, que é imaginar como você *gostaria* de viver sua vida.

Então, depois da lista feita, comece a colocar cada uma das atividades esperadas em grupos específicos, com base em quando seria o ideal para você viver cada experiência. Por exemplo, se você quiser esquiar cinquenta vezes na vida, durante quais décadas ou intervalos de cinco anos você gostaria de viver esses dias de esqui? Aqui também, não pense em dinheiro ainda — concentre-se na questão do intervalo de tempo que seria adequado segundo o seu desejo.

Algumas dessas decisões serão mais fáceis do que outras. Na verdade, você provavelmente já tem uma boa ideia de algumas das experiências maravilhosas que gostaria de desfrutar. Quanto aos outros itens da "lista de desejos", por exemplo, você sempre pode viajar para um lugar distante. Mas, como observamos, é sempre mais fácil fazer isso quando você está na casa dos 40 ou 50 anos do que quando está na casa dos 70 ou 80. A questão é: o dia para começar a pensar e planejar os próximos anos de forma ativa e consciente é HOJE.

Preenchendo seus intervalos de tempo

25-30 anos	40-45 anos	46-50 anos	51-55 anos	Mais de 75 anos
Fazer trabalho voluntário	Viajar pelo Sul da Ásia	Mandar as crianças para a faculdade	Ser voluntário na ONG Habitat para a Humanidade	Ser voluntário em um abrigo
Fazer a trilha até Machu Picchu	Escrever um livro	Explorar o Norte da Europa	Ir à formatura dos filhos na faculdade	Acampar no Grand Canyon
Viajar pela Europa Ocidental	Mudar para uma cidade desejada	Viajar pela China e pelo Caribe	Velejar pela Costa Amalfitana	Tornar-se mentor
Abrir um negócio	Esquiar nos Alpes	Nadar com os tubarões-baleia	Aprender um novo idioma	Fazer um cruzeiro até o Alasca

25 — 30 40 — 45 — 50 — 55 75 — 80+

Jovem adulto — Vida adulta — Velhice

Ao dividir o tempo de sua vida em intervalos, você distribui toda a sua lista de atividades planejadas pelo tempo estimado da sua vida.

Em geral, usar a abordagem dos intervalos de tempo fará com que você comece a perceber que algumas experiências são melhor aproveitadas em determinadas idades. Escalar montanhas e assistir a shows barulhentos, por exemplo, é muito mais divertido quando se é jovem. Não é de surpreender que as atividades mais exigentes fisicamente tendam a ficar no lado esquerdo (mais jovem) da linha do tempo. Você provavelmente não vai esquiar muito aos 80 anos. Sim, algumas pessoas correm a Maratona de Boston aos 70 anos, e uma mulher de forma física excepcional chamada Katherine Beiers completou a corrida quando tinha 85 anos. (Detalhe, a maratona aos 85 anos não foi a primeira de Beiers, foi a 14ª.)

Há um momento para tudo: intervalos de tempo *versus* lista de desejos

Ao realizar o exercício de intervalos de tempo, você verá por si mesmo que há um momento para tudo. Dito isto, você pode começar a sentir que algumas experiências desejadas entram em conflito com outras. Ou talvez perceba que algumas das atividades que deseja realizar não vão acontecer, a menos que você comece a planejá-las agora.

E só para esclarecer: esta lista é o oposto da chamada "lista de desejos", que normalmente é uma listagem única de todas as coisas que você espera fazer antes de morrer, ou "chutar o balde", por assim dizer — por isso o termo do inglês, "bucket list". Essa lista de desejos mais tradicional geralmente é elaborada por uma pessoa mais velha que, quando confrontada com a própria mortalidade, começa a fazer uma lista de atividades e vontades que não apenas ainda não realizou, mas que naquele momento se sente compelido a realizar logo, antes que o seu tempo acabe. Ou seja, é um esforço muito mais reativo, uma corrida repentina contra o tempo.

Dividir as metas em intervalos de tempo, por outro lado, é uma abordagem muito mais proativa. Na verdade, você está olhando para as próximas décadas e tentando planejar toda a gama de atividades, eventos e experiências que gostaria de viver.

Você também perceberá que algumas experiências definidas em seus intervalos de tempo são mais flexíveis do que outras. Por exemplo, você ainda pode visitar bibliotecas, assistir a filmes clássicos, ler livros e jogar xadrez até a velhice. Fazer um cruzeiro pode ser agradável em praticamente qualquer idade.

Ainda assim, à medida que você começar a preencher seus intervalos de tempo, provavelmente verá que as experiências que deseja não ocorrem em um padrão uniforme ao longo da vida; elas se aglomeram naturalmente durante determinados períodos, assumindo mais ou menos a forma do lado direito de uma curva em sino (ver figura a seguir).

Desde que você siga ignorando o fator dinheiro e mantenha-se principalmente focado na saúde e no tempo livre, esse sino provavelmente ficará inclinado para a esquerda: você vai desejar viver a maior parte de suas experiências (especialmente aquelas com atividades exigentes do ponto de vista físico) quando estiver no auge da saúde e antes de ser limitado pelas exigências da paternidade. Se o seu plano de vida inclui filhos, as experiências que você deseja ter com eles se acumularão um pouco mais tarde, provavelmente criando um pico por volta dos 30 e 40 anos. Repito, tudo isso se aplica mesmo sem levar em consideração o custo das experiências.

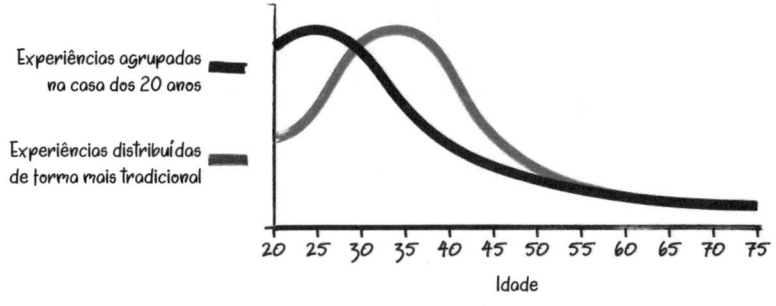

Experiências agrupadas na casa dos 20 anos *versus* experiências distribuídas de forma mais tradicional na meia-idade

Experiências agrupadas na casa dos 20 anos

Experiências distribuídas de forma mais tradicional

Idade

Sem restrições financeiras, o ideal é que a maioria de suas experiências ocorresse entre os 20 e os 30 anos, quando sua saúde está melhor. Porém, na verdade, os gastos da maioria das pessoas concentram-se na meia-idade.

Tudo bem. Lembre-se de que estamos nos concentrando apenas em dois componentes principais do seu período de tempo: sua saúde física e seus sonhos. Deixamos as preocupações financeiras de lado de propósito, porque é sempre muito fácil descartar nossos sonhos simplesmente dizendo: "Parece muito bom, mas vamos encarar os fatos... Eu não posso bancar isso." Concentrar-se na questão financeira desvia a atenção da dura verdade de que o tempo e a saúde são passageiros.

Mas como as preocupações financeiras são reais, é claro, sigamos para o próximo capítulo, onde falaremos sobre como fazer para garantir que você não perca a oportunidade de gastar seu dinheiro enquanto o tempo ainda está a seu favor.

Recomendações

- Se dividir o tempo em intervalos para toda a sua vida parece um pouco cansativo, basta fazer o exercício com três intervalos de tempo cobrindo os próximos 30 anos. Saiba que você sempre pode acrescentar mais coisas à sua lista, e sugiro que você faça isso bem antes que a sua idade e a sua saúde se tornem um fator decisivo.
- Se você tem filhos, pense na sua própria versão da minha história do filme do ursinho Pooh: qual experiência você gostaria de ter mais vezes com eles nos próximos um ou dois anos, antes que essa fase da vida de vocês chegue ao fim?

8

SAIBA RECONHECER SEU ÁPICE

Regra número 8:
Quando parar de aumentar seu patrimônio

Recentemente comemorei meu aniversário de 50 anos. Sem dúvida, foi um dia muito divertido, mas, sendo honesto, não foi a maior festa da minha vida. Minha maior e melhor festa aconteceu cinco anos antes, depois que eu planejei a comemoração de 45 anos mais memorável que eu pudesse pagar. A ideia era reunir todos os meus familiares e amigos de todas as fases da minha vida e apresentar a todos um dos meus lugares favoritos do planeta: a serena e bela ilha caribenha de St. Barths, onde minha esposa e eu passamos nossa lua de mel.

Embora completar 45 anos seja apenas um marco intermediário, eu sabia que não queria esperar até completar 50 anos para viver aquela experiência: minha mãe já estava bastante idosa e eu queria que ela pudesse voar e aproveitar ao máximo a celebração. (Meu pai já estava debilitado e não podia viajar, então era ainda mais importante que minha mãe comparecesse.) Além disso, meus amigos também não estavam ficando mais jovens! Quem sabe se algum dia haveria outra chance de reunir todas aquelas pessoas? Não, aquele ano era o momento certo e eu estava determinado a fazer a festa acontecer. Eu queria ter essa lembrança tão importante e única para o resto da minha vida.

A empreitada custaria algum dinheiro, é claro, mas, felizmente, a essa altura da minha vida, graças a um pouco de habilidade e muita sorte no meu trabalho como trader no setor de energia, eu estava bem financeiramente. Sei que dinheiro é uma preocupação para todos, e muitas das pessoas que eu queria convidar, incluindo amigos de infância e de faculdade, não tinham condições de voar para St. Barths e pagar pela hospedagem no hotel isolado que eu tinha em mente. As pessoas com quem você compartilha experiências de fato afetam a qualidade da experiência, e em nenhum lugar isso é mais verdadeiro do que em um evento único na vida. Então eu sabia que se quisesse ter aquele tipo de festa de aniversário única, teria que fazer um esforço e pagar para que muitos dos meus convidados estivessem presentes.

Porém, meus recursos são finitos, como os de todo mundo, e quando comecei a calcular os valores, esbarrei nos meus limites. Realizar essa celebração dos sonhos custaria uma grande parte do meu patrimônio líquido. Seria mesmo uma boa ideia gastar tanto dinheiro em apenas uma semana, por mais incrível que ela pudesse ser?

Todos nós enfrentamos alguma versão dessa questão sempre que pensamos em fazer uma compra significativa. É claro que os valores diferem de pessoa para pessoa, muitas vezes em ordens de grandeza, mas a questão central é a mesma para todos: qual é a melhor maneira de gastar nosso dinheiro para desfrutar ao máximo e gerar o máximo de lembranças?

Você já sabe algumas das minhas respostas para essa pergunta: invista em experiências que rendam lembranças duradouras, tenha sempre em mente que a saúde de todos piora com a idade, dê seu dinheiro aos seus filhos antes de morrer em vez de economizar para a herança deles e aprenda a equilibrar o prazer atual com a gratificação futura. Mas embora eu acredite piamente nesses princípios, a minha festa de 45 anos me fez pensar: precisei convencer a mim mesmo a ultrapassar o obstáculo psicológico de gastar uma fortuna numa única festa de uma semana, por mais memorável que fosse. Tive que dizer a mim mesmo várias vezes que nunca mais eu completaria 45 anos e me perguntei quando — antes do meu enterro, em algum dia no futuro — eu teria outra chance de reunir todas aquelas pessoas importantes para mim. Assim que superei esse obstáculo psicológico, mergulhei de cabeça no plano e comecei a planejar a melhor festa de aniversário que meu dinheiro pudesse comprar.

A festa da minha vida

Aluguei todos os 22 quartos e suítes do Hotel Taïwana, isolado à beira-mar, na praia de areia branca da maior baía da ilha. Para abrigar a todos, também reservei vários quartos no também deslumbrante hotel ao lado, o Cheval Blanc. Comprei voos para dezenas de convidados. Além de tudo isso, organizei passeios de barco, piqueniques, comida e entretenimento para as noites: uma foi de sushi e karaokê, outra com DJ tocando o melhor do R&B das antigas.

E também teve a Natalie Merchant. Quando eu morava em Nova York, aos 20 e poucos anos, apenas começando e dividindo um apartamento minúsculo com um colega, ele e eu costumávamos ouvir *Tigerlily*, o álbum solo de estreia de Merchant lançado em 1995. Eu amava esse álbum. E eu sabia que o estilo lírico suave da ex-vocalista do 10.000 Maniacs criaria o clima perfeito para uma noite especial e faria sucesso com todo mundo, desde minha mãe até os caras com quem cresci em Jersey City. Então, combinei com os representantes de Merchant para trazê-la à ilha para um show privado, dizendo apenas aos meus convidados que teríamos um convidado-surpresa.

A noite do show foi tão maravilhosa quanto você pode imaginar. Lembro de abraçar minha esposa pelas costas e ficar ali ouvindo as músicas, ouvindo Merchant contando a história de como ela compôs uma das canções, e também lembro de beber champanhe feito um louco. Foi maravilhoso ver minha mãe conversando com aquela artista maravilhosa, também. Mas não foi apenas o show que foi incrível: eu não mudaria um único detalhe daquela viagem.

Imagine: você está andando do seu quarto para a bela praia em um dia em que a água está cristalina, com ondas suaves e, para onde quer que olhe, tudo o que você vê são as pessoas que ama. Ali está o seu melhor amigo da faculdade, mais adiante está o seu melhor amigo dos anos de trabalho. Sua mãe saindo do chalé dela. Você vê outros amigos próximos em seu deck ou na piscina, e todos ficam maravilhados com a beleza ao redor. E todos estão felizes! Acredite em mim, compartilhar essa experiência é a melhor sensação de todos os tempos. Em algum momento eu pensei mesmo que o céu deveria se parecer com aquilo. Esse sentimento me ocorreu repetidas vezes. A semana inteira foi incrível em todos os sentidos e jamais vou me esquecer, ao menos até meu cérebro parar de funcionar.

Até hoje, as pessoas ainda falam sobre aquela semana. De vez em quando acontece alguma coisinha que me lembra daquela festa maravilhosa e todos aqueles sentimentos grandiosos logo ressurgem. Reviver aqueles dias e noites em minha mente é quase tão bom quanto de fato estar lá. Tenho plena certeza de que, quando estiver perto do fim, minha alegria virá das minhas lembranças, e essa viagem a St. Barths vai estar bem perto do topo da lista.

É por isso que não me arrependo da quantidade absurda de dinheiro que gastei naquela semana nem do fato de não ter esperado até meu aniversário de 50 anos para dar a festa da minha vida. Na verdade, na ocasião do meu 50º aniversário, meu pai já tinha morrido e infelizmente a saúde da minha mãe tinha piorado bastante. Meu irmão e duas irmãs estavam lá, mas alguns dos meus amigos não puderam comparecer dessa vez. Do meu ponto de vista, foi uma decisão muito acertada esbanjar naquele encontro extraordinário cinco anos antes.

Ou... eu poderia não ter esbanjado naquela festa luxuosa quando tinha 45 anos. Em vez disso, poderia ter comemorado meu aniversário apenas olhando meus extratos mensais de investimento e da poupança da aposentadoria. Mas que tipo de lembrança seria essa?

Veja bem, muitas pessoas têm tendência a adiar a gratificação e economizar para o futuro. E a *capacidade* de adiar a gratificação é útil para nós. Ser capaz de chegar ao trabalho na hora certa, pagar as contas do dia a dia, cuidar dos filhos, colocar comida na mesa — esses são os elementos essenciais da vida. Mas, na verdade, adiar a gratificação só é útil até certo ponto. Se você ralar muito todos os dias, corre o risco de acordar uma manhã e perceber que já adiou coisas demais. E, no limite extremo, adiar as gratificações indefinidamente é o mesmo que não ter gratificação alguma. Então, qual é momento ideal para não adiar?

Bem, existem algumas maneiras de responder a essa pergunta. Uma delas é a cada ano, como mostrei no Capítulo 6: ao longo da vida você terá que equilibrar seus gastos no presente com suas economias para o futuro. O equilíbrio ideal muda de *ano para ano* porque é provável que sua saúde e sua renda também mudem a cada ano.

A outra forma de responder à questão do equilíbrio ideal é analisar as suas economias ao longo da vida como um todo, e o foco deste capítulo está em como fazer isso. Mas, como não é assim que a maioria das pessoas pensa a respeito de gastar e poupar, permita-me explicar.

Em primeiro lugar, pense em tudo o que você tem agora, desde sua casa até sua coleção de figurinhas, desde o valor de seus investimentos no mercado de ações até o dinheiro que está na sua carteira. Esses são seus ativos totais. Se você tiver alguma dívida, como financiamento estudantil, financiamento de um imóvel ou automóvel, some todos esses empréstimos e subtraia esse valor de seus ativos totais. O que resta é o seu *patrimônio líquido*: o que você possui menos o que deve. Soa familiar, certo? O patrimônio líquido é um conceito básico, e foi abordado anteriormente quando analisamos dados que mostram que o patrimônio líquido médio dos norte-americanos tende a aumentar com a idade. Se você entendeu essa discussão, já entendeu o próximo ponto importante, que é o fato de o patrimônio líquido de uma pessoa não ser o mesmo ao longo da vida.

Esse é um ponto-chave para reconhecer qual é o seu ápice: seu patrimônio líquido tende a mudar ao longo dos anos. É assim para a maioria das pessoas. Durante boa parte da vida, em especial no começo da carreira, a gente simplesmente gasta o dinheiro que está ganhando no momento. Nessa fase inicial, não estamos aumentando nosso patrimônio líquido: se moramos de aluguel ou temos uma dívida enorme de financiamento estudantil e ainda não ganhamos o suficiente para esses custos, temos um resultado líquido negativo (quando o débito é maior do que o crédito).

Mas à medida que as parcelas desse financiamento vão sendo quitadas e presumindo que nossa renda aumente mais rápido do que nossos gastos, é natural começarmos a juntar algum dinheiro, o que significa que o patrimônio líquido pode, enfim, começar a crescer, passando de negativo para positivo. Ele se torna cada vez mais positivo ao longo do tempo: se mantivermos um emprego remunerado, o patrimônio líquido geralmente continua aumentando, seja este aumento lento ou rápido. Não estou dizendo que deveria ser assim, apenas que geralmente é.

Digamos que seu patrimônio líquido aos 25 anos seja de 2 mil dólares, e então seu patrimônio líquido aos 30 anos seja de 10 mil dólares. Aos 35 anos, é muito provável que a cifra seja superior a 10 mil dólares — e normalmente será superior a isso aos 40, e ainda mais aos 45. As estatísticas sobre o patrimônio líquido do núcleo familiar (com base na idade do chefe da família) confirmam esta tendência.

Ou observe as taxas de propriedade para casa própria,[1] já que possuir casa própria é uma forma comum de acumular riqueza. (Você pode não pensar em sua casa da mesma forma que pensa em dinheiro no banco, mas não há como negar que possuir uma casa aumenta seu patrimônio líquido.) Considerando que apenas cerca de 35% dos norte-americanos com menos de 35 anos possui casa própria, a taxa de propriedade de casa própria para norte-americanos com idade entre 35 e 44 anos é de quase 60%, e chega a quase 70% para norte-americanos na faixa etária de 45 a 54 anos. E o número é ainda maior à medida que as pessoas vão envelhecendo.

Essas estatísticas básicas, no entanto, descrevem apenas o que as pessoas estão fazendo em relação ao seu patrimônio líquido no presente, e não o que deveriam estar fazendo caso seu objetivo fosse ampliar ao máximo seu proveito ao longo da vida. Então, o que você deveria estar fazendo?

É aqui que meu conselho diverge do que a maioria das pessoas faz: você precisa encontrar aquele ponto especial em sua vida em que seu patrimônio líquido é o *mais alto do que jamais será*. Eu chamo esse ponto de ápice do patrimônio líquido, ou apenas de "seu ápice".

Por que deveria existir um ápice? Por que o patrimônio líquido não pode simplesmente continuar aumentando? Primeiro, lembre-se de que, do meu ponto de vista, o objetivo maior é maximizar as realizações, ou seja, converter sua energia vital em tantos pontos de experiência quanto for possível. Fazer isso requer descobrir a alocação ideal do seu dinheiro e do seu tempo livre para as idades certas, dada a inevitabilidade do declínio da saúde e a chegada da morte. Como resultado, em determinados anos você precisa economizar muito pouco dinheiro (para poder gastar mais em experiências de vida significativas), enquanto em outros anos você deve economizar mais (para ter mais dinheiro e assim aproveitar mais, ou melhor, futuras experiências).

Mas há uma razão ainda mais importante para identificar seu ápice de patrimônio líquido: seu objetivo é morrer sem nada. Se o seu patrimônio líquido continuar subindo aos 60, 70 anos e além, é impossível morrer sem nada. Assim, em algum momento você deve começar de fato a gastar as economias de sua vida. Caso contrário, você vai acabar com dinheiro não gasto, o que significa que não obteve tantos pontos de experiência quanto poderia. É por isso que digo que o seu patrimônio líquido atinge um nível no qual é o mais alto possível — após o qual você deve começar a gastá-lo em experiências enquanto ainda é possível extrair muito prazer delas. Esse ponto, efetivamente, é o seu ápice.

Não deixe o momento desse ápice ao sabor do acaso; para aproveitar ao máximo seu dinheiro e sua vida, você deve determinar de forma *deliberada* a data em que ele acontecerá. Mais adiante neste capítulo, darei algumas orientações sobre como identificar essa data.

Mas você terá o suficiente para viver?

Antes de começar a pensar em gastar seu dinheiro, você deve ter certeza de que tem o suficiente para viver pelo resto da vida. Essa é uma advertência importante, porque muitas pessoas não poupam o suficiente para a aposentadoria. Embora eu queira incentivar todos a maximizar suas experiências, não quero encorajar gastos irresponsáveis. Pensar no seu ápice como uma data, e não como um número, é um bom conselho apenas para pessoas que atingiram determinado nível de poupança.

Mesmo assim, tenha em mente que baseio essas recomendações nos meus próprios moldes do que contribui para uma vida plena. Não sou consultor financeiro e, se eu inspirar você a pensar de forma diferente sobre como administrar seu dinheiro, é uma boa ideia primeiro resolver os detalhes da sua situação pessoal com um profissional, como um planejador financeiro ou contador.

Alerta feito, vou explicar o que penso sobre esse nível de poupança e qual é a minha abordagem. O nível de que estou falando (quanto você precisa economizar no mínimo) é um número. Mas, como você verá em breve, esse número pode muito bem ser menor do que o que os poupadores mais cautelosos andam economizando. Isso porque esse nível se baseia em evitar o pior cenário (ou seja, ficar sem dinheiro antes de morrer). Trata-se da quantidade de dinheiro que você precisa economizar *apenas para sobreviver*, sem qualquer outra renda. Depois de atingir esse limite, você não vai mais precisar trabalhar por dinheiro e poderá começar a gastar suas economias com parcimônia.

Então, qual é esse nível? Bem, certamente o mesmo número não funciona para todos, porque o custo de vida varia de acordo com onde você mora, entre tantos outros fatores. E se você é responsável pelo sustento de outras pessoas além de você, obviamente vai precisar de mais economias do que se tivesse uma família de apenas uma pessoa. Mas para todos, o limiar de sobrevivência se baseia tanto no custo de vida anual como no número de anos que se espera viver a partir do dia de hoje.

Vejamos um exemplo. Vamos supor que seu custo anual de sobrevivência seja de 12 mil dólares. É um valor bastante baixo, sim, mas vou usá-lo de exemplo não para dizer especificamente de quanto você vai precisar, e sim para dar uma ideia de como funciona o cálculo básico.

Suponhamos também, neste exemplo, que você tem 55 anos e que, depois de olhar para uma calculadora de expectativa de vida, espera viver até os 80. Portanto, seu dinheiro terá que durar mais 25 anos (ou seja, os *anos restantes de vida* = 25). Quanto você precisa ter em sua poupança *hoje* para dispor de um valor que garanta sua sobrevivência pelo resto da vida?

Bem, para obter uma resposta muito aproximada bastaria multiplicar o seu custo anual de sobrevivência, o *custo para viver um ano*, pelo número de anos que essa quantia será gasta, os *anos restantes de vida*:

(custo de vida de um ano) × (anos restantes de vida) = $ 12.000 × 25 = $ 300.000

De novo, esta ainda não é a resposta final. A quantia real que você precisa economizar é, na verdade, muito inferior a 300 mil dólares. Por quê? Porque o seu pé-de-meia não fica parado enquanto você o gasta ano após ano. Supondo que você tenha essas economias investidas em uma carteira comum de ações/títulos, seu dinheiro geralmente rende juros, trabalhando para gerar renda mesmo que você não esteja mais trabalhando. Portanto, quaisquer juros que você ganhe acima da inflação (sejam esses juros de 2%, 5%, ou qualquer outro valor) estão ajudando a compensar o custo das retiradas.

E aqui é hora de outro alerta: tenha sempre em mente que mesmo uma carteira de ações/títulos nem sempre rende juros acima da inflação. As taxas de retorno podem variar de ano para ano, às vezes bastante.

Porém, para efeitos deste exemplo, vamos supor uma taxa de juros de 3% acima da inflação. E vamos usar o exemplo para levar em conta esses juros de 3% acima da inflação.

Digamos que você comece com uma quantia de 212 mil dólares e gaste 12 mil dólares no primeiro ano. Quanto você terá depois do primeiro ano? Bem, você não acaba o ano com apenas 200 mil dólares, mas com cerca de 206 mil dólares, porque mesmo que você tenha retirado os 12 mil dólares de uma vez no início do ano (de forma que os primeiros 12 mil dólares não rendem juros), os 3% que você ganha sobre os 200 mil dólares restantes rendem o total de 6 mil dólares. Você pode estender esse processo de cálculo para os mesmos saques anuais e os mesmos juros anuais para o período total de 25 anos.

Esse saque anual fixo é uma anuidade (muito parecida com as anuidades que você pode comprar de uma seguradora), e há uma fórmula técnica (chamada de fórmula de valor presente para uma anuidade)[2] para calcular quanto você precisaria para começar a gerar uma determinada anuidade. Inserindo esses números na fórmula, você descobrirá que os 212 mil dólares iniciais vão quase até o fim do período. (Para ser mais preciso, você precisa começar com 213.210,12 dólares se quiser que seu dinheiro dure 25 anos com juros de 3% e uma saque anual de 12 mil dólares.) A cada saque, seu valor inicial diminui, mas não tanto quanto você imagina, porque os juros rendem uma parte do que você precisa. É por isso que basta apenas uma parte do custo anual de sobrevivência multiplicado pelo número de anos: com os juros, você ganhará o resto.

Então, qual é essa fração do total? Como regra simples, sugiro 70%. Em nosso exemplo, a fração seria, na verdade, pouco mais de 71% (porque 213.210,12 dólares é 0,7107 vezes 300 mil dólares). Se a taxa de juros fosse mais alta, a fração necessária na poupança seria menor. Por exemplo, se sua taxa de juros for de 5% e todo o resto permanecer igual, você precisará de apenas 173.426,50 dólares — ou um pouco menos de 58%. Claro, se a taxa de juros for zero, você precisará que todo o dinheiro (os 300 mil dólares) venha da poupança. Mas 70% cobre você na maioria dos casos, além de ser um número simples e bonito.

Então, vamos resumir tudo isso em uma fórmula básica para calcular seu nível de poupança para sobrevivência:

Valor para nível de sobrevivência = 0,7 × (custo de vida de um ano) × (anos restantes de vida)

Você pode brincar calculando diferentes valores de *custo de vida em um ano* e seus *anos restantes de vida*. Por exemplo, se quiser se aposentar na Flórida, você pode fazer algumas pesquisas para ver quanto isso custaria a cada ano. E, claro, você também pode inserir um número maior ou menor de anos e ver o efeito dessas mudanças em sua poupança de sobrevivência.

Repito, tenha em mente que este nível de poupança para sobrevivência é o mínimo. Depois de atingir esse nível, é provável que você não queira se aposentar ainda — pode fazer sentido continuar trabalhando e ter uma qualidade de vida superior à que o nível básico de sobrevivência pode proporcionar. Mas agora você pode começar a pensar com segurança pelo menos na possibilidade de usar seu pé-de-meia. Depois de se certificar de ter a mera garantia de sobrevivência, você poderá começar a pensar no ápice de seu patrimônio líquido em termos de data, em vez de números.

Lembre-se também de que você pode usar diversas fontes de ativos para alcançar seu nível de sobrevivência. Ou seja, caso seu patrimônio líquido esteja em sua casa, você poderá decidir vendê-la e se mudar para uma menor. Se você não tiver certeza de quantos anos o dinheiro deve durar ou estiver preocupado em ficar sem nada antes do tempo, lembre-se de que você pode usar todas ou parte de suas economias para comprar uma previdência privada do tipo anuidade para a aposentadoria.

Identificando o seu ápice: ele é uma data, não um valor

Ok, digamos que você alcançou o seu nível de sobrevivência, e um pouco mais do que isso. Agora você pode se dar ao luxo de pensar em começar a usar seu pé-de-meia para tirar o máximo proveito do tempo de vida que ainda tem. Repito, quando você pensa no ápice do seu patrimônio líquido dessa maneira, ele não é um número (uma quantia específica em dinheiro), mas sim uma *data específica* (vinculada à sua idade biológica). Essas são duas formas muito diferentes de abordar seus objetivos financeiros.

Muitos de nós fomos treinados para pensar que a estratégia correta para começar a usar nossas economias deve ser baseada em números — isto é, que quando atingirmos um determinado montante em poupança, poderemos então nos aposentar e começar a viver com essas economias. E não faltam sugestões sobre qual deveria ser esse número. O conselho mais simplista, que não pode estar certo, é que todos busquem um valor único, como 1 milhão de dólares, por exemplo, sem importar quem você é ou onde vive. (Como pode 1 milhão de dólares em poupança ser o número certo tanto para a pessoa saudável que viaja pelo mundo e mora em uma cidade grande, quanto para a pessoa caseira e tranquila que vive no interior?) Nenhum especialista em aposentadoria que se preze sugeriria que uma cifra única serve para todos.

Em vez disso, ele daria conselhos mais personalizados, baseando o número recomendado no seu custo de vida real, na sua expectativa de vida e nas taxas de juros projetadas (como uma taxa de retorno anual típica de 4,5% além da inflação). Alguns consultores até levam em conta o fato de que seus gastos com a aposentadoria não serão constantes do início ao fim e, assim, dizem que você vai precisar de mais dinheiro no início da aposentadoria[3] (seus anos de aceleração) do que depois de 10 ou 20 anos já aposentado. Portanto, sem dúvida existem vários graus de sofisticação em todos esses conselhos sobre planejamento da aposentadoria. Mas o que todo conselho financeiro tem em comum é a ideia de chegar a um único número, uma meta financeira a atingir antes de poder começar a usar sua poupança com segurança.

Para aquelas pessoas que não pouparam o suficiente para viver bem na aposentadoria — seja porque sua receita é pequena demais, ou por terem esbanjado como a cigarra —, o foco em alcançar uma meta financeira faz sentido. Sem esse objetivo definido em mente, as pessoas que não pouparam o suficiente estão diante do risco de viver o pior cenário de todos: ficar sem dinheiro e estarem velhas demais para voltar a trabalhar.

Mas um número não deveria ser o objetivo principal da nossa vida e um dos principais motivos é que, psicologicamente, nenhum número vai parecer suficiente. Por exemplo, digamos que o número que você escolheu (com base em cálculos do tipo recomendado pelos consultores financeiros) seja de 2 milhões de dólares. Para atingir esse objetivo, é fácil que se justifique trabalhar por ainda mais tempo, dizendo e convencendo a si mesmo de que será capaz de desfrutar de uma qualidade de vida ainda melhor se economizar 2,5 milhões de dólares. E por essa lógica, você pode alcançar uma qualidade de vida ainda maior economizando 3 milhões de dólares. Então, onde isso vai parar? Esse é um problema de ter uma meta numérica. Para tentar alcançar esse alvo móvel, basta continuar trabalhando no piloto automático e adiando as melhores experiências.

É preciso não perder de vista a noção de que desfrutar de experiências requer uma combinação de dinheiro, tempo livre e saúde. Precisamos das três coisas; o dinheiro por si só nunca é suficiente. E, para a maioria das pessoas, acumular mais dinheiro leva tempo. Portanto, ao trabalhar mais anos para acumular mais dinheiro do que realmente precisa, você está obtendo mais de alguma coisa (dinheiro), *mas* está perdendo ainda mais de algo pelo menos tão valioso quanto (tempo livre e saúde). O resultado final é o seguinte: ter mais dinheiro não significa conseguir mais pontos de experiência.

A maioria das pessoas se esquece dos custos de adquirir mais dinheiro, por isso concentram-se principalmente nos ganhos. Assim, por exemplo, 2,5 milhões de dólares compram uma qualidade de vida melhor do que 2 milhões de dólares (*se todas as outras coisas seguirem iguais*), mas a questão é que as outras coisas *não* permanecem iguais! Para cada dia de trabalho a mais, uma quantidade equivalente de tempo livre é sacrificada e, durante esse período, a saúde também diminui gradualmente. Quem espera cinco anos para parar de economizar, em geral estará cinco anos pior, fechando completamente a janela para certas experiências. Em suma, do meu ponto de vista, os anos que você passa ganhando aqueles 500 mil dólares extras não compensam (e muito menos superam) o número de pontos de experiência que você perdeu trabalhando por mais dinheiro em vez de aproveitar esses cinco anos de tempo livre.

Declínio da utilidade do dinheiro com a progressão da idade

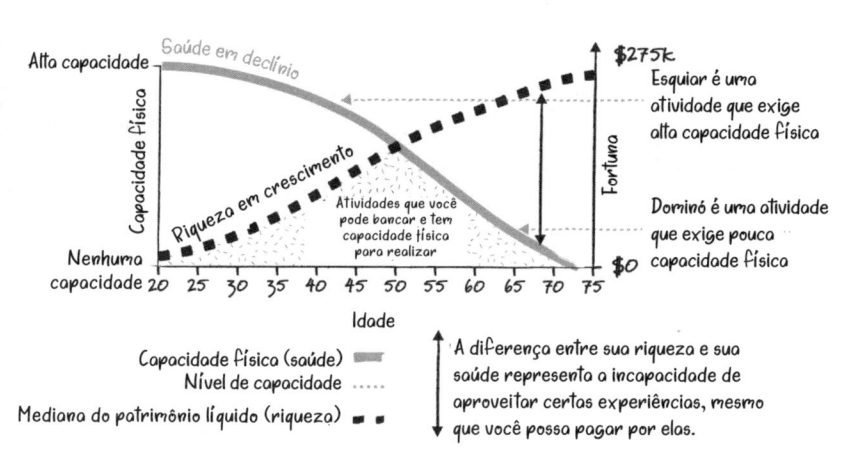

- Capacidade física (saúde)
- Nível de capacidade
- Mediana do patrimônio líquido (riqueza)

Saúde em declínio

Riqueza em crescimento

Atividades que você pode bancar e tem capacidade física para realizar

Esquiar é uma atividade que exige alta capacidade física

Dominó é uma atividade que exige pouca capacidade física

A diferença entre sua riqueza e sua saúde representa a incapacidade de aproveitar certas experiências, mesmo que você possa pagar por elas.

A sua capacidade de desfrutar de experiências depende tanto da sua capacidade econômica (a curva de riqueza mostrada aqui) como da sua capacidade física (a curva de saúde). Continuar acumulando riqueza não significa necessariamente que você vai comprar mais experiências, porque o declínio da sua saúde limita o prazer de certas experiências, não importa quanto dinheiro você tenha.

Portanto, além de um determinado valor mínimo para sobrevivência financeira, *não* pense em termos de um valor em dinheiro. Pense no ápice do seu patrimônio líquido como sendo uma data.

É claro que algumas pessoas já pensam em quando parar de aumentar a sua poupança em termos de data. As mais óbvias são entre os 60 e 65 anos, idade média do início dos primeiros benefícios da aposentadoria em muitos países. E, dependendo de quando você nasceu, você pode começar a receber todos os benefícios da previdência social em algum momento entre 66 e 67 anos. Cada vez mais, dado o aumento da expectativa de vida, os especialistas em aposentadoria nos Estados Unidos recomendam que os aposentados de renda média esperem até os 70 anos para pedir os benefícios da previdência social, idade na qual poderão receber mais de 100% da totalidade dos benefícios.[4] Agora, a data em que um cidadão norte-americano começa a receber os benefícios e a data em que se aposenta não precisam coincidir – mas as datas da previdência social e do Medicare parecem ter um efeito na escolha da idade de aposentadoria das pessoas, especialmente porque os benefícios da previdência social constituem uma grande parte da renda de aposentadoria da maioria delas. No entanto, olhar para a previdência social não mostra toda a história: quase dois terços dos trabalhadores norte-americanos dizem que planejam trabalhar depois dos 65 anos, de acordo com uma pesquisa de 2016 da Pew Charitable Trusts.[5] Esta é a idade de aposentadoria *prevista* para as pessoas, e não a idade na qual elas realmente se aposentam.

A idade real de aposentadoria muitas vezes é mais baixa, porque as pessoas por vezes se aposentam antes do planejado, em geral devido à perda inesperada de emprego ou por doença. Essa aposentadoria involuntária não é algo insignificante, pois parece afetar mais da metade de todos os aposentados nos últimos anos: de acordo com um estudo realizado nos Estados Unidos com cerca de 14 mil trabalhadores recentemente aposentados, 39% dos que se aposentaram em 2014 foram forçados a pedir demissão, e outros 16% foram "parcialmente forçados". Caso estejam corretos, esses números mostram que muito mais norte-americanos se aposentam involuntariamente do que mostram as estatísticas oficiais. A discriminação etária contra os trabalhadores mais velhos, combinada com o estigma da perda involuntária do emprego, aparentemente faz com que alguns trabalhadores digam que se aposentaram, quando na verdade foram simplesmente forçados a abandonar seus empregos[6] e não conseguiram encontrar outro. Seja qual for a razão, a idade de aposentadoria mais comum nos Estados Unidos é, na verdade, 62 anos,[7] assim como a mediana[8] — também a idade em que os norte-americanos podem começar a receber os benefícios da previdência social.

Então, qual é realmente a hora certa de usar seu pé-de-meia? Dito de outra forma, se o ápice do seu patrimônio líquido é uma data, qual deve ser essa data tão importante? Bem, ela está ligada à sua idade biológica, que é apenas uma medida da sua saúde geral. Se você pegar duas pessoas com idade cronológica de 50 anos, uma pode ter a idade biológica de uma pessoa de 40 anos, enquanto a outra tem a idade biológica de uma pessoa de 65. A primeira, "mais jovem" de 50 anos (vamos chamá-la de Anne), não só viverá mais do que a "mais velha" e menos saudável de 50 anos (Betty), mas também será capaz de desfrutar tanto de atividades físicas quanto mentais até uma idade mais avançada. Com mais anos proveitosos pela frente para desfrutar das experiências, Anne deveria planejar um ápice posterior ao de Betty, o que significa que Anne vai precisar continuar aumentando suas economias por mais tempo do que Betty, antes que ela possa começar a gastar seu patrimônio líquido até chegar a zero.

Ao pesquisar este tópico, meus colegas e eu realizamos simulações de ganhos e despesas para dezenas de pessoas hipotéticas como Anne e Betty, incorporando diferentes cenários sobre a saúde, o aumento dos ganhos e as taxas de juros. Dependendo de todos esses fatores, vemos diferentes curvas de patrimônio líquido. Geramos, então, muitas curvas de patrimônio líquido diferentes. Cada uma é ideal para uma determinada pessoa, mas em todas elas a pessoa acaba morrendo exatamente zerada e, por isso, cada uma apresenta um ápice de patrimônio líquido algum tempo antes da data de sua morte. Percebemos o seguinte: para quase todo mundo, o ápice ideal do patrimônio líquido ocorre em algum momento entre os 45 e os 60 anos.

Acúmulo de patrimônio líquido

[Gráfico: eixo Y "Patrimônio líquido", eixo X "Idade" (20 a 75). Duas curvas: "Patrimônio tradicional" (crescente) e "Patrimônio ideal" (em forma de sino, com ápice próximo aos 60 anos).]

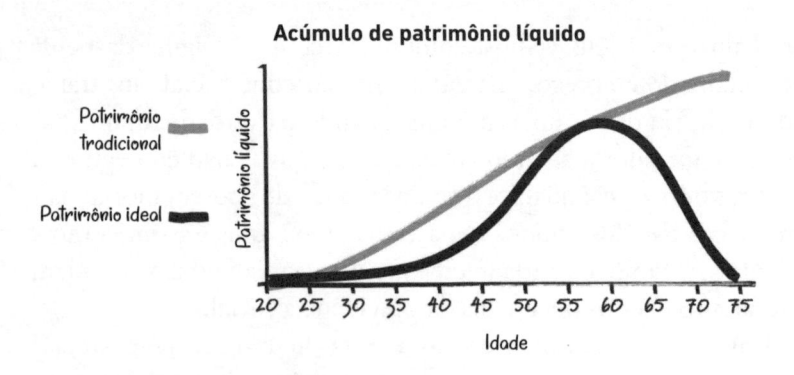

Tradicionalmente, as pessoas continuam aumentando seu patrimônio líquido até parar de trabalhar e têm medo de usar muito do seu capital, mesmo após a aposentadoria. Mas para aproveitar ao máximo o seu suado dinheiro, você precisa abrir seu pé-de-meia mais cedo (começando a gastar suas economias em algum momento entre os 45 e os 60 anos, para a maioria das pessoas) para, teoricamente, morrer sem nada.

Analisemos mais detalhadamente. Primeiro, quero deixar claro que 45 a 60 anos são idades cronológicas. Tal como observado no exemplo de Anne e Betty, se a saúde de uma pessoa for excelente (e, portanto, tiver idade biológica inferior à idade cronológica), o ápice situa-se no extremo superior desse intervalo. Para quem é ultrassaudável, as verdadeiras exceções, o ápice pode ser até acima dos 60 anos. E, obviamente, se a pessoa tem uma doença que indica morte prematura, então o ápice ocorre antes dos 45 anos. Mas em geral, a maioria das pessoas alcança esse ponto entre os 45 e 60 anos. Isso é o que nossas simulações mostram: para a maioria das pessoas, esperar até ultrapassar essa faixa etária causa índices de realização abaixo do ideal, porque elas acabam morrendo com mais do que zero, sem tempo para ter muitas experiências proveitosas.

Claramente, o crescimento das receitas também tem um grande efeito no momento do ápice de uma pessoa. Alguém com rápido crescimento de ganhos atinge esse ponto mais cedo. No outro extremo do espectro de rendimentos estão as pessoas que precisam continuar aumentando as suas poupanças até os 60 anos, talvez até mais tarde, se quiserem viver experiências com o dinheiro extra após a aposentadoria. Mas, repito, em geral, a maioria das pessoas chega lá entre os 45 e os 60.

O que isso tudo significa? Bem, isso quer dizer que, a menos que você seja uma exceção, é preciso começar a gastar seu patrimônio muito antes do que é tradicionalmente recomendado. Se você esperar até os 65 ou mesmo 62 anos para usar seu pé-de-meia, é quase certo que você acabe trabalhando mais do que o necessário por um dinheiro que nunca vai conseguir gastar. Que pensamento triste: trabalhar como escravo e nunca usar o ouro.

Não me interprete mal: não estou dizendo o momento em que você deve se aposentar, como será explicado na próxima seção, apenas quando você deve começar a gastar mais do que ganha.

"Mas eu amo meu trabalho!" – Parte II

Quando falei pela primeira vez a respeito de morrer sem nada, citei as pessoas que, de forma compreensível, vão argumentar que gostam do que fazem e, nesse caso, qual seria o problema de não desfrutar de um dinheiro ganho com esse tipo de "trabalho prazeroso"? Como eu já disse antes, para otimizar, não importa de onde o dinheiro vem: depois de consegui-lo, você deve a si mesmo gastá-lo com sabedoria.

Uma versão dessa pergunta surge quando falo sobre gastar mais a partir do momento em que você atinge o seu ápice de patrimônio: "O quê, você realmente espera que eu largue um emprego que amo só porque atingi uma data mágica?" E minha resposta é não. Se você quiser continuar trabalhando, fique à vontade. Apenas certifique-se de aumentar seus gastos de forma correspondente, para não acabar morrendo com muito dinheiro na conta. Isso seria um desperdício, não importa quanto você goste do seu trabalho.

Eu sei que existem alguns sortudos entre nós que estão de fato "vivendo o sonho" e fazendo da vida o que sempre sonharam. São aqueles raros indivíduos que mal podem esperar para chegar ao trabalho todos os dias e que se sentem mal quando precisam voltar para casa à noite. Essas pessoas amam de verdade o que estão fazendo, sim, mas repito: esses casos são raríssimos. Você pode ser uma delas, ok, mas se não for — se está mais apaixonado pelo salário que leva para casa do que pelas experiências diárias de estar no escritório —, então está na hora de fazer uma avaliação sincera e profunda da sua vida e determinar o que você realmente quer dela.

O foco da nossa cultura coloca o trabalho como uma droga sedutora. Ela faz uso de todo o seu desejo por descobertas, sua curiosidade e busca por experiências, prometendo em troca os meios (dinheiro) para conseguir todas essas coisas — mas o foco no trabalho e no dinheiro torna-se uma obsessão tão automática que você acaba se esquecendo de quais eram os seus objetivos iniciais. O veneno se torna o remédio, e isso é muito louco!

Veja bem, se tudo que você quer é ter uma montanha de dinheiro no final, a escolha é sua. Mas tenha em mente que nunca vi o patrimônio líquido total de alguém escrito em sua lápide. Você não prefere tentar descobrir quais experiências únicas gostaria de ter para si? Moldar as lembranças que carregará para o futuro, não apenas para você, mas para a sua família e seus entes queridos? Foi exatamente por isso que decidi esbanjar naquela festona de 45 anos.

Tive essa conversa com meu amigo Andy Schwartz, empresário de sucesso no ramo de adesivos (produz cola). Ele tem 50 e poucos anos, é casado, tem três filhos entre a adolescência e a casa dos 20 anos, e não tem planos de se aposentar, embora pudesse. Ele tem muitos motivos: o trabalho continua a desafiá-lo intelectualmente, ele adora conviver com outras pessoas da área e se sente responsável pelo bem-estar financeiro de seus funcionários. "Se eu não gostasse, se achasse que era uma tarefa árdua, eu venderia tudo e tchau", diz ele.

Portanto, Andy não é uma pessoa que simplesmente trabalha por medo de não ter o suficiente para se aposentar. Ele adora o negócio e gosta de desenvolvê-lo. Ou seja, o trabalho em si é uma rica fonte de experiências de vida para ele.

Se você perguntar por que Andy gosta de aumentar seu patrimônio, visto que já é rico, ele vai mencionar os netos, para quem deseja deixar uma boa poupança, e instituições filantrópicas para as quais gostaria de doar dinheiro, como a escola de ensino médio e a faculdade nas quais estudou.

"Tudo bem", eu disse. "Estou feliz que você esteja satisfeito. Continue trabalhando e ganhando mais dinheiro, mas não se esqueça de gastá-lo agora! Se você quiser doar dinheiro para sua escola ou faculdade, faça isso agora. Se você quer dar dinheiro aos seus filhos e futuros netos, comece a fazê-lo agora. (Para crianças que ainda são muito pequenas, crie um fundo fiduciário.) Quanto ao restante, gaste para ter a melhor vida possível para si mesmo."

Quando digo isso a Andy, ele explica que seus gostos não são caros. Ele afirma que leva um estilo de vida bastante tranquilo e modesto. Então eu retruco: "Como você sabe quais são seus gostos se, na prática, você não fez muita coisa além de trabalhar e criar os filhos?" A verdade é que o negócio de Andy tem sido uma parte tão importante da vida dele e exigiu tanta atenção que ele simplesmente não tem disposição para pensar em maneiras únicas, novas ou estimulantes de gastar esse dinheiro.

Mas se alguém o desafiasse a gastar, digamos, 300 mil dólares em atividades que não estejam totalmente relacionadas com o trabalho, mas sim com diversão, ele seria forçado a pensar de forma diferente, e com certeza descobriria novas atividades e interesses que adoraria. E não estou falando de gastar por gastar, mas de se tornar a versão mais completa e realizada do Andy que ele poderia ser.

Para começar, ele e a esposa poderiam trocar ideias e listar seus três grupos musicais favoritos. Por que não voar para assistir ao show em algum destino durante um fim de semana? Ou ele poderia ser um dos financiadores do TED Talks, o que custa várias centenas de milhares de dólares, mas dá acesso especial à principal conferência do TED, onde ele poderia conhecer lendas vivas de muitas áreas. Depois de uma viagem ao TED e de conversar com essas pessoas incríveis, ele poderia encontrar 13 novos propósitos e direções diferentes para seguir!

Acredite em mim: não é tão difícil gastar muito dinheiro fazendo coisas que você ama. Mas primeiro é preciso dedicar algum tempo para descobrir conscientemente quais são essas despesas que tem apelo para você. Usando a si mesmo como exemplo desta ideia, o economista comportamental Meir Statman disse que considera que as viagens em classe executiva valem cada centavo, mas não pensa o mesmo em relação a refeições requintadas. "Posso pagar por uma refeição de 300 dólares, mas isso me faz sentir estúpido, como se o chef ficasse lá atrás rindo muito da minha cara."[9] A questão é que todo mundo decide onde gastar o próprio dinheiro. Não vale a pena pensar sobre o que você valoriza e investir seu dinheiro nisso?

Portanto, se você não está pronto para largar seu emprego, mas quer aproveitar ao máximo seu dinheiro antes de morrer, comece a gastar mais do que tem feito!

Outra estratégia para aproveitar ao máximo as experiências de seus primeiros anos dourados sem abandonar o emprego é reduzir suas horas de trabalho, caso seja possível. Se você tiver a sorte de trabalhar para um empregador que oferece um programa formal de "aposentadoria progressiva", com certeza você deve pensar nisso. Infelizmente, apenas cerca de 5% de todos os empregadores nos Estados Unidos oferecem tais programas, de acordo com um relatório de 2017 do Gabinete de Prestação de Contas do governo. No entanto, as porcentagens são mais elevadas em algumas áreas,[10] como a educação e as tecnologias avançadas. A boa notícia é que muito mais empregadores têm programas informais, com gestores oferecendo aposentadorias em etapas para funcionários com alto desempenho e habilidades requisitadas no mercado.[11] Faz sentido: quanto mais valioso você for para seu empregador atual, maior será a probabilidade de ele estar disposto a trabalhar nas condições que você deseja.

Em resumo, tome cuidado para não ser sempre seduzido pelo dinheiro. É claro que a sensação de ser apreciado e bem remunerado é ótima, mas lembre-se de que os empregadores podem tentar oferecer atrativos para que você trabalhe mais horas do que seria ideal para você. É fácil sucumbir a essa tentação, afinal, se você tem 55 anos e é um funcionário valioso, é provável que esteja ganhando mais do que já ganhou em qualquer momento da carreira. Mas lembre-se de que seu objetivo não é maximizar a riqueza, e sim suas *experiências de vida*. Essa é uma grande reviravolta para a maioria das pessoas.

O desafio de desacumular

Depois de finalmente determinar o momento em que seu patrimônio líquido atinge o ápice, comece a gastar ou desacumular. Isso significa que durante seus verdadeiros anos dourados, quando estiver razoavelmente em boa forma tanto em termos de saúde quanto de riqueza (45 a 60), você gastará mais do que as pessoas normalmente gastam, porque a maioria que economiza dinheiro para o futuro o faz para uma época da vida muito tardia.

Gastos ao longo da vida

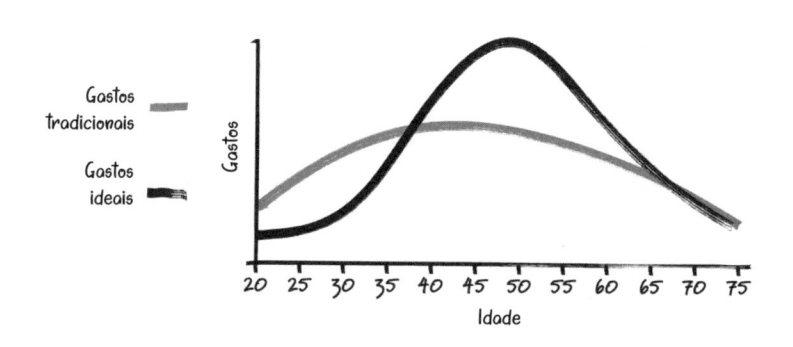

Quer você esteja gastando da maneira ideal ou da maneira que a maioria das pessoas gasta, seus gastos na velhice são menores do que na meia-idade, porque os idosos geralmente não têm a saúde necessária para gastar tanto com experiências. Ou seja, a menos que você gaste significativamente mais na meia-idade do que a maioria das pessoas, você não vai conseguir morrer sem nada.

Agora pense no conceito de intervalos de tempo. Quando apresentei essa ferramenta pela primeira vez, pedi que você deixasse de lado qualquer preocupação com dinheiro para que pudesse enxergar como a maioria das experiências se enquadram naturalmente em uma curva em forma de sino que se inclina um pouco para a esquerda, ou seja, na sua juventude. Mas o que acontece quando você começa a colocar etiquetas de preço nas experiências que deseja ter? Nesse ponto, a curva vai se mover um pouco para a direita, porque à medida que se inicia o declínio natural da sua saúde, sua riqueza tende a aumentar, o que significa que você terá mais renda extra disponível para experiências de maior qualidade. Por exemplo, se você gosta de ir ao cinema ou ao teatro, você pode desfrutar ambos em qualquer idade, o que significa que você pode tranquilamente distribuir essa atividade ao longo da vida. Mas uma vez que você começa a pensar em dinheiro, você não pode mais ignorar o fato de que os ingressos de teatro geralmente custam muito mais do que os ingressos de cinema, o que significa que, para aproveitar ao máximo, você vai querer mover algumas das experiências de teatro para a direita, quando você for mais velho e tiver mais dinheiro. Mas você não quer movê-las muito para a direita, a ponto de ficar velho demais para ouvir os atores ou perder um bom tempo indo ao banheiro várias vezes. Nesse ponto da sua vida, você vai preferir ficar em casa assistindo programas de auditório ou reprises de alguma série antiga.

É provável que você chegue a outra conclusão quando começar a precificar essas experiências: a quantidade de dinheiro necessária na aposentadoria costuma ser muito menor do que você foi aconselhado a economizar. Por exemplo, se lhe disseram que durante cada ano de aposentadoria você precisará de 80% ou mais de sua renda anual pré-aposentadoria, você provavelmente descobrirá, depois de observar as atividades que realizou durante seus 70, 80 e poucos anos, e além, que esta idade na verdade não custa tanto — custa bem menos do que 80% de seus gastos anteriores. (Lembre-se da pesquisa sobre os anos de restrição no Capítulo 3.) É verdade que algumas atividades fisicamente pouco exigentes, como ir à ópera, podem ser caras, mas você provavelmente não vai querer ir à ópera setenta vezes num período de apenas cinco anos. Em um determinado momento da vida, você simplesmente não será capaz de consumir acima de uma certa quantia de sua poupança. Sendo assim, não economize muito e planeje-se para aproveitar esse dinheiro mais cedo.

E mesmo quando você inclui o dinheiro nesse cálculo, a curva não vai se inclinar para a direita — você perceberá que a maioria das experiências que deseja terão que acontecer a cerca de vinte anos da meia-idade, em qualquer direção, antes ou depois; em outras palavras, aproximadamente entre 20 e 60 anos de idade. As pessoas falam muito sobre poupar para a aposentadoria, mas há muito menos diálogo sobre poupar para experiências de vida excelentes e memoráveis que precisam acontecer muito mais cedo do que a idade comum de aposentadoria. Se você observar as atividades anunciadas nos comerciais para aposentados — um casal de mãos dadas passeando em uma bela praia, um homem com a mão nos ombros de um jovem —, você vai descobrir que, na verdade, deseja fazer a maioria dessas coisas antes de se aposentar.

Estou dizendo para você gastar todo o seu dinheiro antes dos 60 anos? Nada disso. Com certeza, você também vai precisar de renda quando for mais velho, então, enquanto ainda estiver trabalhando para ganhar dinheiro, é melhor economizar para aquele período da vida em que não estará mais trabalhando. Mas perceba que o tempo se move em apenas uma direção e que, à medida que passa, as oportunidades de certas experiências são eliminadas para sempre. Se você mantiver isso em mente ao planejar seu futuro, terá mais chances de aproveitar melhor cada ano da sua vida.

Saber que você tem dinheiro suficiente para o resto da vida (fazendo alguns cálculos de sobrevivência) deve lhe dar tranquilidade para começar a gastar de forma mais agressiva a partir de hoje. Mas sei que a mudança psicológica do modo de poupança para o modo de gasto não será fácil. Mudar hábitos profundamente arraigados nunca é. Se você passou toda a sua vida como um bom poupador, disciplinado e comprometido, é difícil mudar repentinamente de marcha e começar a fazer exatamente o oposto. Para as pessoas habituadas a acumular riqueza, desacumular não é algo que ocorre naturalmente. Velhos hábitos são difíceis de abandonar.

Mas fazer isso é absolutamente essencial se você quiser aproveitar ao máximo sua energia vital. Lembre-se de que você não pode levar seu dinheiro com você. Cada centavo que você não gastar no momento certo terá muito menos valor para você mais tarde e, em alguns casos, não lhe trará nenhum proveito.

Lembre-se também de investir na saúde, mesmo que você não tenha feito muito isso no passado. Como expliquei anteriormente, a qualidade da nossa saúde altera enormemente a nossa capacidade de desfrutar de todos os tipos de experiências. Portanto, vale a pena gastar tempo e dinheiro melhorando ou pelo menos mantendo sua saúde, seja entrando em uma academia mais luxuosa (do tipo que você realmente tem vontade de frequentar), contratando um personal trainer ou se exercitando com vídeos para manter a forma.

Uma das minhas irmãs, Tia, levou esse conselho a sério. Aos 57 anos, ela ainda trabalha na empresa da família, mas reorganizou sua rotina de modo a não mais ficar sentada em uma cadeira de nove a dez horas por dia, como costumava fazer. Ela entende que os músculos de todas as pessoas atrofiam com a idade e está diminuindo a taxa desse declínio fazendo treinamento de resistência várias vezes por semana. Ela também nada regularmente e faz aulas de spinning. Ou seja, ela está com tudo! Tia não vai correr uma maratona tão cedo, mas através desses investimentos na sua saúde, está mudando ativamente a sua experiência de vida atual e futura.

Reorganize o tempo em sua vida

Nossos interesses e as pessoas com quem nos relacionamos vão mudando ao longo da vida, por isso é uma boa ideia repetir o exercício dos intervalos de tempo de vez em quando, a cada cinco ou dez anos, por exemplo.

Um dos momentos mais importantes para reorganizar a vida é quando você está se aproximando do ápice de seu patrimônio líquido. Muitas pessoas na meia-idade já esqueceram o que costumava lhes trazer realização e também estão ocupadas demais cuidando da carreira e dos filhos para explorar novos interesses. Assim, elas se aposentam com apenas uma vaga ideia do que farão com todo esse tempo livre. Ou então têm algumas ideias específicas — normalmente viagens que desejam fazer —, mas apenas durante os primeiros anos. Então, depois de um tempo, elas tendem a ficar à deriva, sentindo-se sem rumo e talvez até ansiosas para voltar ao trabalho, o único lugar onde sabem que terão um senso integrado de propósito, pertencimento e realização. Nos piores casos, esta sensação de falta de objetivo pode levar à ansiedade e à depressão.

Portanto, antes de pedir demissão ou reduzir sua carga horária, pense de verdade no que você deseja fazer, uma vez que seu trabalho não vai mais ocupar boa parte dos seus dias. Existe um hobby há muito adormecido que você deseja retomar? Uma amizade específica que você deseja reavivar? Uma nova habilidade que você deseja aprender ou um clube no qual deseja ingressar? Que aventuras você realmente deseja ter, e quando? Coloque essas experiências nos intervalos de tempo apropriados e comece a criar novas memórias hoje mesmo.

Recomendações

- Calcule seu *custo anual de sobrevivência* com base em onde você planeja morar na aposentadoria.
- Consulte seu médico para saber sua idade biológica e sua expectativa de vida; faça todos os exames possíveis para ter uma noção correta do estado atual da sua saúde, bem como a estimativa de seu futuro declínio.
- Dada a sua própria saúde e histórico, pense em quando é provável que o seu prazer nessas atividades comece a diminuir de forma perceptível a cada ano — e como as atividades que você ama serão afetadas por esse declínio.

9

SEJA OUSADO, MAS NÃO TOLO

Regra número 9:
Assuma os maiores riscos quando tiver pouco a perder

Mark Cuban, dono do Dallas Mavericks e um dos "tubarões" investidores do programa *Shark Tank*, aprendeu empreendedorismo ainda jovem. Aos 12 anos, ele vendia sacos de lixo para os vizinhos. Aos 16 anos, comprava selos e depois os revendia com lucro. Crescendo em uma família da classe trabalhadora em Pittsburgh, ele lembra que sua mãe o incentivava a aprender um ofício, como instalar carpetes. Mas em vez disso, Cuban foi estudar administração de empresas, uma graduação que pagou dando aulas de dança e, depois, comprando e administrando um pub nos arredores do campus. No final das contas, a polícia fechou o pub por oferecer bebida a menores de idade e, quando Cuban se formou, ainda estava falido, mas já tinha as habilidades e a confiança para ter sucesso nos negócios. Assim, depois de um curto período trabalhando para um banco em sua cidade natal, aos 23 anos ele colocou seus escassos pertences em um Fiat velho e dirigiu até Dallas para encontrar um amigo da faculdade que havia elogiado a cidade. Lá, os dois dividiam um apartamento com outros quatro rapazes. A cama de Cuban era um saco de dormir sobre um tapete manchado de cerveja no meio da sala. Mas ele continuou tentando, até que conseguiu um emprego como bartender e outro como vendedor em uma loja de informática.

E quando foi demitido por desafiar o chefe da loja, traçou planos para abrir a própria empresa – uma consultoria em informática chamada MicroSolutions. Alguns anos depois, aos 32 anos, ele vendeu a empresa por 6 milhões de dólares e tirou cinco anos sabáticos.

Aposte quando você não tem nada (ou pouco) a perder

Em certo momento, Cuban interrompeu esse período e começou a tocar o negócio que o tornou um multibilionário (embora isso não venha ao caso aqui). O que é mais interessante para mim sobre a experiência de Mark Cuban é que nenhum dos movimentos ousados que levaram a esse sucesso pareceram arriscados para ele; nem a mudança para Dallas ou os empregos que ele assumiu lá, nem o desafio ao seu chefe, nem o negócio que ele começou depois de ser demitido. "Eu não tinha nada", lembra ele. "Então eu não tinha nada a perder, certo? Era tudo uma questão de seguir em frente."

O que Cuban está dizendo é que ele estava frente a uma situação de risco assimétrico, que é quando o lado positivo do possível sucesso é muito maior do que o lado negativo do possível fracasso. Diante de riscos assimétricos, faz todo o sentido ser ousado e aproveitar a oportunidade em mãos. No ponto extremo, quando o lado negativo é muito pequeno (ou inexistente, como no caso de ter "nada a perder") e o lado positivo é realmente alto, na verdade é mais arriscado não tomar uma decisão ousada. A desvantagem de sequer tentar é emocional: potencialmente uma vida inteira de arrependimento e de perguntas do tipo *"e se?"*. A vantagem de arriscar sempre inclui benefícios emocionais, mesmo que no final as coisas não deem certo. Há um grande sentimento de orgulho por ter perseguido um objetivo importante com todo o coração. Se você deu tudo de si, terá muitas lembranças positivas da experiência, não importa o desfecho. Essa é apenas outra forma de dividendos de lembranças de que falei anteriormente: ao olhar para trás a partir de qualquer ponto da sua vida, você se lembrará das suas ações de uma forma positiva. Em outras palavras, mesmo as experiências que não terminam da maneira que você esperava ainda podem produzir dividendos positivos. Ser ousado é um investimento na sua felicidade futura e, portanto, outra forma de maximizar a área sob a curva no gráfico de realizações.

A maioria das oportunidades não apresenta uma assimetria de risco tão extrema, mas se você pensar bem, muitas vezes verá que o lado negativo não é tão grande quanto você imagina.

Quanto mais jovem você é, mais ousado deveria ser

Você se lembra do que eu disse sobre investir em experiências quando somos jovens? Bem, é claro que sempre é bom investir em experiências, mas é *especialmente* bom fazer isso quando se é jovem. Uma lógica semelhante se aplica a ser ousado: à medida que ficamos mais velhos, alguns riscos se tornam mais tolice do que ousadia.

Isso é fácil de perceber com relação a riscos físicos. Quando eu era criança, costumava pular do telhado da minha garagem. Era divertido e nunca me machuquei de verdade. Nem parecia um risco. Mas eu seria um tolo se tentasse pular de um telhado hoje, com meu corpo de 50 anos: sou mais pesado e meus joelhos não absorvem impactos tão bem. Então, se eu pulasse, provavelmente acabaria no hospital, e mesmo que não tivesse sequelas desse acidente, eu demoraria muito para me recuperar. Ou seja, tenho muito mais a perder do que a ganhar com um salto desse tipo. Portanto, meus dias de pular do topo da garagem ficaram para trás.

Uma relação análoga se dá em muitas áreas, onde o equilíbrio entre risco e recompensa muda com o tempo, até que a janela de oportunidade desapareça para sempre. Quando você é jovem, cada risco que corre pode render muito em caso de sucesso: sua vantagem é enorme. Ao mesmo tempo, a desvantagem (em outras palavras, o que acontece quando se corre o risco e fracassa) é baixa, porque você tem muito tempo para se recuperar. No pôquer, por exemplo, às vezes você pode comprar mais fichas ou "recarregar". Quando somos jovens, estamos em um estágio do jogo da vida em que podemos recarregar sem parar.

Como resultado, o impacto no longo prazo de qualquer fracasso acaba sendo bastante baixo. Quando eu tinha 23 anos, fui demitido do meu emprego como operador júnior em um banco de investimento. Naquele trabalho, eu estava treinando para a carreira que queria, mas um dia cheguei cansado e fui pego descansando com a cabeça encostada na cabine. Bem, foi o fim daquele emprego. Eu estava assustado e incerto em relação ao que faria a seguir, e não foi divertido passar um tempo desempregado. Meu desemprego acabou quando comecei a trabalhar como corretor, um trabalho que pagava bem, mas não era o que eu queria fazer de verdade, que era negociar como trader. Mesmo assim, eu sabia que precisava fazer alguma coisa e pensei em ver aonde aquela jornada como corretor levaria. Eu tinha 23 anos, foi fácil corrigir o rumo. Mesmo que eu não tivesse encontrado o emprego de corretor, mesmo que fosse um fracasso total, eu não morreria e nem pararia na fila da sopa comunitária.

Perceba que não estou dizendo que ser ousado em situações de risco assimétrico sempre leva ao sucesso, como aconteceu com Mark Cuban. Às vezes as coisas não saem do seu jeito, não importa o quanto você tente. O que estou dizendo é que a "perda" vale a pena. O emprego como corretor ainda assim foi uma boa aposta porque eu sabia que tinha pouco a perder, tinha muito tempo para corrigir o rumo e ainda consegui adquirir ótimas lembranças.

Escolhas de carreira

Digamos que você queira se tornar ator, mas sabe que esse é um campo muito competitivo: a maioria das pessoas que se muda para Hollywood nunca chega ao sucesso, e acaba tendo que trabalhar como garçom entre um teste de elenco e outro. Sua alternativa a seguir a carreira de ator é ter um trabalho de escritório seguro que não o entusiasma. Então, você deveria deixar seu emprego seguro para se mudar para Hollywood? Bem, a resposta depende quase que inteiramente da sua idade (não do que seus pais esperam de você ou do que seus amigos acham que você deveria fazer). Se você tem 20 e poucos anos, manda brasa! Dê tudo de si, gaste todas as suas fichas tentando o que deseja. Você pode reservar alguns anos para isso e, se não der certo, ainda poderá voltar a trabalhar em escritório, ou quem sabe começar a estudar para uma nova formação.

Foi exatamente isso que o ex-ator Jeff Cohen fez quando sua carreira não deu certo. Se você já assistiu ao filme *Os Goonies*, de 1985, sobre um grupo de crianças em busca de um tesouro perdido, provavelmente se lembra do personagem chamado Chunk, o membro gordinho da excêntrica turma. Chunk foi o primeiro papel de destaque de Cohen — até então, sua carreira consistia em pequenos papéis em programas de TV e comerciais. Depois de *Os Goonies*, o exuberante e engraçado Cohen parecia estar no caminho certo para uma grande carreira em Hollywood, mas novos papéis não se materializaram. O que aconteceu? A puberdade o transformou "de gordinho em galã", como Cohen se diverte dizendo. Hollywood está cheia de histórias tristes de ex-atores infantis, mas felizmente a história de Cohen não é uma delas. Ele fez faculdade e se graduou em Direito, com especialização no setor do Entretenimento e hoje é sócio de um escritório fundado por ele.[1] A carreira de ator não deu certo, mas e daí?

Por outro lado, se você está na casa dos 50, mudar-se para Hollywood não é um bom plano. Nessa altura, é provável que você tenha pessoas em sua vida que realmente dependem de você, como cônjuge e filhos. Se for esse o caso, o seu fracasso não é mais exclusivamente seu: ele afeta a vida de outras pessoas. Foi pela mesma razão que parei de andar de moto e de fazer aulas de piloto de avião quando tive filhos: na minha opinião, eu não tinha mais o direito de colocar minha vida em risco em prol dessas emoções. O mesmo acontece com todos os tipos de riscos: quanto mais velho você fica, mais tem a perder. Mas não é apenas porque os riscos são maiores: as recompensas potenciais também são menores! Mesmo que você seja um lobo solitário ou que seus filhos já tenham crescido e saído de casa, o equilíbrio entre risco e recompensa ainda não estará a seu favor quando você for mais velho. Na melhor das hipóteses, caso as coisas estejam mesmo espetaculares, você terá menos anos para desfrutar desse sucesso. Você não preferiria ter assumido o tal grande risco mais cedo na vida?

Não posso dizer que seja tolice uma pessoa começar a ir em busca dos seus sonhos aos 50 anos, porque as circunstâncias de cada um são diferentes. Se você perdeu a chance de fazer o que queria quando era mais jovem e vê os anos de aposentadoria que se aproximam como a última chance de correr atrás dos seus sonhos, eu diria que "antes tarde do que nunca". Mas se pudéssemos voltar no tempo, eu diria: não espere. Faça algo ousado agora, em vez de na aposentadoria, porque os anos de aceleração são muito curtos. Em geral, toda essa história de "vou esperar para fazer isso quando me aposentar" é um grande erro. Mas se você já cometeu esse erro, vá em frente e aproveite ao máximo o tempo que tem.

Mas muitas pessoas não aproveitam esses momentos em que *podem* assumir riscos mais facilmente, e acho que isso acontece porque o lado negativo é amplificado nas suas cabeças. Elas pensam no pior cenário possível, como virar um sem-teto, mesmo que esse cenário não seja nem remotamente realista. Orientadas pelo medo, essas pessoas não reconhecem a assimetria no risco que estão assumindo: na cabeça delas, é como se um fracasso desastroso fosse tão provável quanto qualquer tipo de sucesso.

Há alguns anos, eu estava conversando com uma jovem que conheço chamada Christine, que trabalhava como vendedora de bancadas de plástico. Não há nada de errado em vender bancadas, de plástico ou não, e tenho certeza de que alguns vendedores ficam muito satisfeitos em ajudar os clientes a encontrar exatamente a bancada certa para eles. Só que Christine não era uma delas, principalmente porque seu empregador não lhe dava reconhecimento por todo o seu trabalho árduo. Ela também tinha poucos dias de folga. O trabalho estava deixando Christine tão infeliz que eu a encorajei a tomar uma atitude ousada e pedir demissão. Eu disse que ela devia simplesmente largar aquele emprego, sem esperar para conseguir outro antes, porque continuar naquela posição a deixava com muito pouco tempo para procurar algo melhor. Porém, Christine tinha muito medo de que o fato de estar desempregada prejudicasse sua busca por um novo emprego. É verdade que os empregadores muitas vezes têm receio de contratar pessoas que estão sem colocação — por isso, abandonar o emprego era um risco. Mas eu a convenci de que, aos 25 anos, ela era jovem o suficiente para corrê-lo. Ela poderia conseguir um emprego no dia seguinte como garçonete, se precisasse, até descobrir o que realmente queria fazer. Sua desvantagem, em outras palavras, não era tão ruim quanto ela imaginava. Além disso, se ela não corresse o risco naquele momento, então quando correria?

Ela seguiu meu conselho e pediu demissão sem ter outro emprego em vista. Desde então, passou por uma série de funções, incluindo outro emprego que ela odiava, mas que pagava 150 mil dólares por ano. (Esse trabalho a deixou tão infeliz que ela chegou a pedir demissão, mas voltou duas semanas depois.) A questão é que, quando somos jovens, podemos nos dar ao luxo de correr muitos riscos porque temos muito tempo para nos recuperar. Dá tempo de tropeçar, dar com a cara no chão, e se reerguer mesmo assim.

É claro que sempre vai ser mais fácil pedir demissão quando você já tem outro emprego encaminhado, mas, como eu disse a Christine, o que é fácil não deve determinar o que você faz. Não deixe que a dificuldade o convença a não viver a vida da melhor maneira possível!

Quantificando o medo: o argumento para mudanças

Muitas pessoas evitam ações ousadas por aversão a mudanças e viagens. Muitas sequer consideram mudar-se para uma cidade diferente e, quando surge uma oportunidade longe de casa, muitas vezes as escuto dizer coisas como "mas eu não conheço ninguém lá" ou "quero ficar perto da minha mãe." Para mim, é inacreditável que as pessoas criem raízes e não busquem viver coisas novas por medo de se afastar de duas ou três pessoas. Isso é o mesmo que deixar que essas duas ou três pessoas escolham onde você deve viver.

Não que você não deva se preocupar em manter essas relações, mas, pensando na questão de forma racional, talvez você descubra que pode se aventurar e ainda manter relacionamentos maravilhosos, além de fazer novos amigos por onde passa. Mas como pensar racionalmente sobre essa questão? Minha resposta é: quantificando cada medo.

Por exemplo, digamos que você tenha a oportunidade de se mudar para o outro lado do país (ou para o outro lado do mundo) em busca de um emprego interessante que pague 70 mil dólares por ano a mais do que seu emprego atual, mas tenha medo de perder contato com seus amigos e familiares.

Quando escuto algo assim, em geral faço algumas perguntas. Uma delas é: quanto tempo você passa com essas pessoas? Muitas vezes não é tanto assim, porque nossa tendência é considerar algo como dado só porque está prontamente disponível. A outra pergunta que faço é: quanto custa uma passagem de ida e volta em primeira classe daqui até lá, sem reservar com antecedência? Este é o preço mais alto que você teria que pagar para ver as pessoas de quem você estaria se afastando. Respondido isso, como esse preço se compara ao seu ganho salarial, sem mencionar tudo o mais que você tem a ganhar com a mudança? Mesmo depois de fazer esses cálculos, às vezes as pessoas ainda decidem ficar onde estão. É claro que a escolha é delas, mas quero salientar que o que estão fazendo é dizer que estão dispostas a pagar 70 mil dólares pelo conforto de não terem que se mudar.

Se eu nunca estivesse disposto a me mudar, teria perdido a maior oportunidade de carreira da minha vida. Isso aconteceu quando eu tinha 25 anos e trabalhava como corretor de balcão, função para o qual fui contratado após ser demitido dois anos antes. Como corretor de gás natural, eu ganhava um bom dinheiro, cerca de 10 a 15 vezes o que ganhava no meu primeiro emprego depois da faculdade. Eu estava me divertindo com meu salário mais alto, mas a verdade é que odiava aquele trabalho. Eu odiava ter que ligar para as pessoas e achava desagradável que meu sucesso dependesse tanto de a pessoa para quem eu estava ligando gostar ou não de mim. Além disso, a natureza de ser um corretor era que meus ganhos eram limitados, não importando quão bom fosse meu desempenho. Eu tinha algum controle, mas não tanto quanto queria. É por isso que eu queria ser trader. Se corretor é como ser um agente imobiliário, o trader é como quem compra e vende as casas: como trader, você assume todos os riscos e recebe todas as recompensas.

A oportunidade de me tornar trader surgiu de forma inesperada. Como parte do meu trabalho de corretor, eu estava fazendo o que considerava uma viagem de rotina para visitar um cliente no Texas. Mal sabia eu que, na verdade, estava sendo entrevistado: no final da visita, meu cliente me ofereceu o emprego de trader-chefe de opções na empresa dele! Eu me lembro de ter negociado com ele, como se não tivesse certeza se aquele era um trabalho que eu de fato queria aceitar, embora eu já estivesse pensando: Onde estão minhas malas? Que dia eu me mudo?

Outras pessoas não entendiam por que eu queria deixar um emprego confortável em Nova York para aceitar um emprego arriscado a ponto de não saber se eu sequer ganharia algum dinheiro em me mudar para o Texas, entre todos os lugares possíveis! Admito que eu tinha meus próprios estereótipos sobre o Texas (na verdade, sobre qualquer lugar ao sul da Linha Mason-Dixon, especialmente sendo uma pessoa negra). Mas meu desejo pela riqueza potencial da carreira de trader era tão grande que eu faria qualquer coisa pela oportunidade. Eu me mudaria para a Sibéria se fosse preciso. Eu também sabia que me odiaria se não aceitasse o emprego. E o que eu realmente tinha a perder? Se não desse certo, eu poderia voltar para Nova York e me tornar corretor novamente. E saber que tentei me deixaria orgulhoso de mim mesmo pelo resto da vida, e me faria sentir que ela tinha mais sentido. Dessa forma, mesmo experiências "negativas" podem trazer dividendos positivos à memória.[2] Alto potencial, baixas perdas.

No fim das contas, deu tudo certo: tive sucesso como trader e passei a amar o Texas. Uma semana depois de chegar para trabalhar em Houston, meu gerente e eu fomos a um leilão de filantropia no qual fizemos um lance por um cavalo e uma espingarda. Então, por um tempo, fui coproprietário de um cavalo, o que meus amigos em Nova York acharam bizarro. Não tenho mais o cavalo, mas ainda tenho a espingarda clássica. E embora ainda mantenha amizade com pessoas que conheci e encontrei em Nova York, construí uma vida feliz e também encontrei muitas pessoas que pensam como eu em Houston.

Eu sei que, lendo tudo isso, você pode se sentir tentado a desconsiderar a minha experiência: "É fácil para você falar isso, Bill." Nem todo mundo recebe ofertas para ganhar muito dinheiro como trader e, com certeza, nem todo mundo sequer tem um emprego confortável para abandonar. Mas a lógica da minha experiência funciona em qualquer escala, desde alguém que deixa um emprego ganhando seis dígitos e pode pedir dinheiro emprestado aos pais ricos, até quem têm apenas dois tostões para gastar. O cara que trabalha no Burger King e estuda programação à noite, ou a garota que une forças com um amigo para abrir um food truck: tudo isso é ser ousado, só que em menor escala. Em todos esses casos, você pode seguir o caminho mais seguro, triste e resignado, ou o caminho mais ousado, que é menos garantido, mas potencialmente muito mais gratificante, tanto financeira quanto psicologicamente.

Como ser ousado quando mais velho

Tudo o que eu disse neste capítulo aponta para ser ousado quando você é jovem. Mas também existem maneiras de ser ousado mais velho. E isso tem a ver com ser corajoso o suficiente para gastar o seu suado dinheiro. Você precisa ter a coragem de fazer as coisas que descrevi no capítulo "Saiba reconhecer seu ápice": a coragem de abandonar uma carreira para poder passar o tempo restante fazendo o que é mais gratificante. As pessoas têm mais medo de ficar sem dinheiro do que de desperdiçar a vida, e isso precisa mudar. Seu maior medo deveria ser desperdiçar sua vida e seu tempo, e não ficar pensando em quanto dinheiro terá acumulado aos 80 anos.

Mas e se eu tiver aversão ao risco?

Entendo bem o medo do risco porque minha mãe é assim: ela era professora da rede pública e sempre quis que eu conseguisse algum tipo de emprego público também. Tivemos muitas discussões a respeito — a chamada segurança no emprego —, com ela dizendo que um emprego no governo era uma garantia, uma grande medida de segurança. Mas eu sempre quis o contrário: tentar alcançar a Lua. Imaginei que se os correios estivessem sempre contratando e proporcionassem uma renda segura, eu poderia sempre trabalhar lá se tudo mais falhasse, mas não havia necessidade de *começar* por aí.

No entanto, entendo a posição da minha mãe: ela é uma mulher afro-americana que nasceu logo após a Grande Depressão e viveu muitos anos antes da era dos Direitos Civis. A vida sempre foi injusta e, naquela época, mais do que nunca, o mundo parecia ir contra você, então fazia sentido que ela partisse em busca de segurança antes de qualquer outra coisa. Na verdade, a mãe dela, minha avó, era ainda mais temerosa. Nunca esquecerei o que minha mãe me disse quando ganhei meu primeiro milhão de dólares: "Não conte para sua avó, ela vai morrer de preocupação com a possibilidade de você perder tudo."

Então, entendo como sua educação pode fazer você querer buscar o mais seguro. É natural que a tolerância ao risco varie de pessoa para pessoa, e tudo bem. Não vou dizer quanto risco você deve assumir. Mas quero acrescentar o seguinte: primeiro, qualquer que seja o nível de risco com o qual você se sinta confortável, sejam quais forem as atitudes ousadas que você possa imaginar para sua vida, geralmente será melhor tomá-las o quanto antes. Repito: o quanto antes é o momento em que temos uma vantagem maior e uma desvantagem menor.

Em segundo lugar, não subestime o risco da inação. Manter o rumo em vez de tomar atitudes ousadas parece seguro, mas pense no que você tem a perder: a vida que *poderia* ter vivido se tivesse reunido coragem para arriscar. Você está ganhando um certo tipo de segurança, mas também está perdendo pontos de experiência. Por exemplo, note que se você evitar certos riscos, vai receber 7 mil pontos de experiência em vez de 10 mil. Isso significa que você acaba com uma vida 30% menos gratificante. Se você disser que 30% menos realização vale a paz de espírito obtida, beleza. Minha avó, por exemplo, não teria conseguido dormir à noite se tivesse vivido uma vida mais ousada, e não posso culpá-la por isso. A quantidade de risco que você assume é escolha sua, só quero que você esteja ciente da decisão que está tomando e de todas as consequências dessa escolha.

Em terceiro lugar, devo lembrá-lo de que há uma diferença entre a baixa tolerância ao risco e o velho e conhecido medo. O medo tende a pegar o risco real e projetá-lo em uma proporção muito maior. Se você está propenso a reagir instintivamente com medo ao tomar atitudes ousadas, pense no pior cenário possível. Quando você considera todas as redes de segurança que você tem na vida — desde o seguro-desemprego fornecido pelo governo até o seguro privado que você pode comprar contra qualquer tipo de desastre, até a boa e velha ajuda de sua família —, o pior cenário provavelmente não é tão ruim quanto você pensa. Se for esse o caso, sua desvantagem geralmente é bastante limitada, enquanto sua vantagem pode ser infinita.

Recomendações:

- Identifique oportunidades que você não está aproveitando e que representam pouco risco para você. Lembre-se sempre de que é melhor arriscar mais quando for mais jovem do que quando for mais velho.
- Observe os medos que estão impedindo você de ir adiante, sejam eles racionais ou irracionais. Não deixe que medos irracionais atrapalhem seus sonhos.
- Perceba que a cada momento você tem uma escolha. As escolhas que você faz refletem suas prioridades, portanto, certifique-se de fazê-las de forma pensada.

Conclusão:
Uma tarefa impossível,
uma meta que vale a pena

Eu passei a você uma tarefa impossível: morrer sem nada. Você pode seguir todas as regras deste livro, acompanhar de perto sua saúde e expectativa de vida e recalcular suas finanças todos os dias, mas, ainda assim, não vai chegar exatamente a zero. Quando você der seu último suspiro, talvez ainda tenha alguns dólares no bolso e talvez até centenas a mais no banco. Então, tecnicamente, você não conseguiu morrer sem nada. Isso é inevitável — e tudo bem.

Por quê? Porque ter esse objetivo terá cumprido o seu verdadeiro trabalho, que é empurrá-lo na direção certa: ao almejar morrer sem nada, você mudará para sempre o foco do piloto automático de ganhar, poupar e maximizar sua riqueza, para viver a melhor vida possível. É por isso que morrer sem nada é um objetivo digno. Tendo isso em mente, você certamente vai tirar mais proveito da sua vida do que conseguiria de outra forma.

Milhões de pessoas vão à igreja ou ao templo todas as semanas tentando ser como Jesus ou Moisés. Outros milhões tentam imitar Maomé. A maioria não consegue nem chegar perto. E tudo bem: nenhum de nós é perfeito, e mesmo os mais virtuosos entre nós nem sempre serão gentis, sábios, corajosos. Mas ao perseguirmos esses ideais, avançamos na direção certa, nos tornamos pelo menos um pouco mais gentis, mais sábios e mais corajosos. E o mesmo acontece com o ideal de morrer sem nada: por mais que tente, você nunca acertará o alvo com exatidão, mas com alguma sorte chegará mais perto do que se nunca tivesse tentado. Então vá em frente, não apenas vivendo sua vida ao máximo, mas salvando a única vida que você tem.

Espero que minha mensagem tenha ao menos levado você a repensar a abordagem-padrão de viver a vida — conseguir um bom emprego, trabalhar duro por horas intermináveis, e então se aposentar aos 60 ou 70 anos para viver o fim de seus dias nos supostos anos dourados.

Mas ainda pergunto a você: por que esperar até que sua saúde e sua energia vital comecem a diminuir? Em vez de se concentrar apenas em economizar para ter um grande pote cheio de dinheiro que você provavelmente não vai conseguir gastar durante a vida, viva a sua vida ao máximo *agora*: busque experiências de vida memoráveis, dê dinheiro aos seus filhos no momento em que esse dinheiro puder ser mais proveitoso para eles, doe dinheiro para instituições filantrópicas enquanto ainda estiver vivo. Essa é a melhor maneira de viver a vida.

Lembre-se: no final das contas, vivemos para criar lembranças.

Então, o que você está esperando?

Agradecimentos

Todo mundo tem ideias: muitas vezes discutimos algo até enjoar, dizendo a quem quiser ouvir: "Vou fazer tal coisa." Com o passar dos anos, porém, aquela "tal coisa" se transforma em outra coisa que guardamos em nossa lista de procrastinação, algo que nunca é feito a não ser que algum gatilho dispare. Para mim, esse gatilho foi uma visita ao meu médico, Chris Renna, cujo entusiasmo imediato pela minha mensagem finalmente me impulsionou a agir.

Antes que eu pudesse sonhar em escrever um livro — e permitir que o mundo criticasse e refletisse sobre as minhas ideias —, primeiro tive que discutir, debater e refinar essas ideias com o público mais difícil possível: meus amigos, familiares e colegas mais próximos. Cada um deles emprestou uma perspectiva única e interessante e me disse quando pensavam que eu estava louco. Quero agradecer (sem nenhuma ordem específica) a Tia Sinclair, Greg Whalley, John Arnold, Cooper Richey, Marc Horowitz, Omar Haneef e Dan Bilzerian por reservarem um tempo para me ouvir tagarelar e colocar minhas ideias à prova.

Ter ideias bem pensadas é uma coisa, mas converter essas ideias em um livro convincente e bom de se ler é outra coisa. Para isso, eu precisaria trabalhar com uma pessoa capaz de pegar minhas palavras, histórias e explicações e transformá-las em um texto fluido e fácil de ler, mantendo o meu tom, estilo e paixão. Essa pessoa se chama Marina Krakovsky.

Tive muita sorte de ter uma *ghostwriter* que estava familiarizada com as ideias relevantes de economia e que tinha a capacidade de apoiá-las com a investigação acadêmica pertinente. Ela também conhecia meu agente e Kay-Yut Chen, um brilhante economista que contratei para trabalhar neste livro. Quero agradecer a Marina não apenas por tudo isso, mas também por me impulsionar no longo, desconhecido e às vezes doloroso processo de transformar uma complexa série de ideias em um livro que qualquer um possa entender.

Depois de reunir uma escritora profissional, um conjunto de boas ideias e o que parecia ser uma proposta forte, precisei de uma editora para ajudar o livro a alcançar o maior público possível. Para encontrar essa editora, eu precisava de um agente ao meu lado. Essa pessoa é Jim Levine. Embora cinco agentes tenham dito que me aceitariam com base na proposta inicial, escolhi Jim porque ele foi o único que me disse que a proposta, embora boa, não estava pronta para ser exibida às editoras, e explicou claramente por que pensava assim. Quero agradecer a ele por seu interesse especial em meu trabalho e por sua disposição em me guiar do status de um cara com uma ideia para um livro a um cara com uma ideia pronta para conseguir um contrato de publicação.

Quero agradecer a Rick Wolff e a toda a equipe da Houghton Mifflin Harcourt por investirem em mim e neste livro. Também quero agradecer a Rick por editar um livro que não se encaixa facilmente em um gênero e por nos ajudar a transmitir as ideias sem parecer muito insistentes ou veementes. (Sou insistente e veemente.)

Obrigado também a Will Palmer, um revisor que foi além do trabalho habitual de um revisor.

Também quero agradecer às pessoas em meu escritório que dedicaram seu tempo para responder a uma pesquisa, me oferecer a perspectiva necessária e ajudar a superar minha miopia sobre como as pessoas veem esse assunto. Sem nenhuma ordem específica, meus agradecimentos por isso vão para Charles Denniston, Oleg Kostenko, Barrie Nichols, Shilpa Chunchu, Loftus Fitzwater e Cassandra Krcmar.

Para ajudar a transmitir ideias de forma compreensível, não há nada como uma boa história. Num livro que fala sobre como as pessoas deveriam gastar o seu dinheiro e a sua vida, essas histórias são muitas vezes altamente pessoais, e por isso agradeço aos amigos, familiares e conhecidos que se permitiram ficar vulneráveis ao abrirem suas vidas para o escrutínio público e a crítica. Então, um grande obrigado a Erin Broadston Irvine, John Arnold, Baird Craft, Andy Schwartz, Jason Ruffo, Joe Farrell, Paulie "Pastrami" Simoniello, Christine Platania, Greg Whalley, Chris Riley, minha irmã Tia Sinclair e minha mãe, Fruita Louise Diaz. Um agradecimento especial a Virginia Colin, que compartilhou sua história mesmo sem me conhecer. Este livro não poderia inspirar ou motivar ninguém sem suas contribuições generosas e corajosas.

Além de histórias com as quais podemos nos identificar, eu também precisava de um modelo formal — uma representação matemática — das ideias sobre as quais estou falando. O economista comportamental Kay-Yut Chen foi extremamente útil não apenas para elaborar a matemática por trás do modelo, mas também para explicar a lógica por trás dos resultados. Omar Haneef também desempenhou um papel fundamental ajudando a moldar essas ideias.

Os outros dados utilizados neste livro estão disponíveis a todos graças à pesquisa do governo dos Estados Unidos, mas apresentá-los num formato de fácil leitura é uma tarefa totalmente diferente. Charles Denniston criou todos os gráficos e imagens deste livro. Sempre que trocávamos fontes de dados ou solicitávamos outras alterações, Charles retornava de forma rápida exatamente com o que precisávamos.

Por manter minha agenda, coordenar reuniões, garantir que eu fizesse minhas ligações e administrar o caos em geral, quero agradecer à minha assistente, Cassandra Krcmar. Obrigado, Cassandra, por ter mantido o circo da minha vida administrável durante esse processo com sua cortesia habitual.

Muitas pessoas leram partes deste livro e retornaram com suas opiniões —, mas pedir a alguém que leia um livro não editado e forneça feedback, especialmente com comentários negativos, é um favor particularmente cansativo. São necessárias muitas horas de trabalho atento, além da temida responsabilidade de dizer a alguém que você conhece que algo não está bom, ou que algo está errado, que soa arrogante, ou que simplesmente ficou um lixo. Se você gostou deste livro, agradeço a esses primeiros leitores intrépidos e dedicados. Se você não gostou do livro, você odiaria ainda mais se não fosse por Raquel Segal, Omar Haneef, Kay-Yut Chen, Keith Perkins, Marc Horowitz e, acima de tudo, Cooper Richey.

Na verdade, Cooper Richey merece seu próprio parágrafo. Se você acha que ler meu livro inacabado é um grande favor, tente lê-lo duas vezes e meia! Tente fazer isso fornecendo notas e críticas detalhadas página por página. Experimente lê-lo e se inspirar para apresentar mais ideias, e depois ligar para discutir e debater mais um pouco. Tente então ser recrutado para sugestões adicionais. Dizem que nenhuma boa ação fica impune, e eu realmente puni Cooper. Sério, ele foi além dos meus pedidos originais e forneceu contribuições mais do que significativas para tornar o livro melhor do que era antes. Sou extremamente grato pelo tempo e esforço extras que ele dedicou para que *Só se vive uma vez* fosse um produto final melhor.

Quero agradecer ao meu padrinho, o advogado Joseph Panepinto, por abrir uma porta de oportunidade que me levou a esta aventura louca e maravilhosa.

Tudo o que construímos depende das gerações anteriores, e gostaria de agradecer à minha mãe e ao meu pai, Fruita Louise Diaz e Bill Perkins Jr.

Escrever o livro foi um período confuso, então, caso tenha esquecido alguém, peço desculpas e agradeço.

Não consigo contar quantas horas passei apenas conversando sobre o livro, ou em reuniões sobre o livro, ou pensando sobre o livro, mas claramente o resultado é que outra pessoa não estava captando meus ciclos cerebrais durante esse período. Meu trabalho é o sacrifício deles, e eu não poderia tê-lo feito sem o amor e a paciência das minhas filhas, Skye e Brisa, bem como da minha namorada, Lara Sebastian, que toleraram e suportaram minha ausência mental por tantas e tantas vezes. Obrigado! Estou de volta!

Notas

CAPÍTULO 1
OTIMIZE SUA VIDA

1. FINKELSTEIN, Amy; LUTTMER, Erzo F. P. e NOTOWIDIGDO, Matthew J., "What Good Is Wealth Without Health? The Effect of Health on the Marginal Utility of Consumption," *Journal of the European Economic Association* 11 (2013): pp. 221-58.

2. CALLAHAN, David. "The Richest Americans Are Sitting on $4 Trillion. How Can They Be Spurred to Give More of it Away?," *Inside Philanthropy*. Disponível em: https://www.insidephilanthropy.com/home/2018/12/4/the-richest-americans-are-sitting-on-4-trillion-how-can-they-be-spurred-to-give-more-of-it-away

3. GOLD, Thomas. *The Deep Hot Biosphere* (Nova York: Springer, 1998). O fato de que todos os organismos vivos precisam de energia para permanecerem vivos é apenas biologia básica, mas o significado disso não me ocorreu até ler *The Deep Hot Biosphere* (A biosfera profunda e quente), de Thomas Gold (um livro importante para um trader do setor de energia, porque Gold argumenta que a Terra possui muito mais petróleo do que sugere a teoria dos combustíveis fósseis, embora o preço dos barris ainda se baseie na ideia de uma oferta escassa). O mais fascinante para mim, porém, foram as partes

do livro sobre as origens da vida, desde os micro-organismos mais simples até as criaturas mais complexas, cada uma delas dependente da energia química armazenada mais abaixo na cadeia alimentar. Fiquei fascinado com a ideia de que sou uma unidade de processamento de energia (EPU), tanto quanto um robô ou um carro. Isso me fez pensar sobre como é caro em termos calóricos mover nossos corpos e como é interessante construirmos máquinas como aviões que podem nos transportar grandes distâncias em altas velocidades. Somos essencialmente EPUs que podem construir outras EPUs. Se você está procurando uma máquina replicadora inteligente, capaz de se autoaperfeiçoar, ela já está aqui e se chama raça humana.

CAPÍTULO 2
INVISTA EM EXPERIÊNCIAS

1. SHAFAN, Joseph. "A Formiga e a Cigarra," em *As fábulas de Esopo* (2008). Disponível em: http://www.dominiopublico.gov.br/download/texto/ea000378.pdf

2. BECKER, Gary S. "Human Capital," Library of Economics and Liberty. Disponível em: https://www.econlib.org/library/Enc/HumanCapital.html
O economista Gary Becker identificou a saúde, juntamente com a educação e o treinamento, entre os investimentos mais importantes em capital humano.

3. CARTER, T. J. e GILOVICH, T., "I Am What I Do, Not What I Have: The Differential Centrality of Experiential and Material Purchases to the Self," *Journal of Personality and Social Psychology* 102 (2012): pp. 1304–17, doi:10.1037/a0027407. Disponível em: https://cpb-us-e1.wpmucdn.com/blogs.cornell.edu/dist/b/6819/files/2017/04/CarterGilo.JPSP_.12-14i5eu8.pdf. Pesquisas em psicologia corroboram a ideia de que nossas experiências estão intimamente ligadas ao nosso senso de identidade, o que ajuda a explicar por que investir em experiências traz mais felicidade do que gastar em bens. Quando participantes de um estudo foram estimulados a perceber um objeto (uma TV, por exemplo) como uma posse ou uma experiência, descobriu-se que pensá-lo enquanto experiência conferiu ao objeto uma sobreposição maior com seu senso de identidade.

4. BACH, David. *Start Late, Finish Rich*. (Nova York: Currency, 2006). O termo "the latte factor" foi criado pelo autor de finanças pessoais David Bach, que o registrou como marca e criou uma calculadora para ajudar a descobrir quanto você pode ganhar ao longo do tempo reduzindo pequenas despesas recorrentes.

CAPÍTULO 3
POR QUE MORRER SEM NADA?

1. "Income Percentile by Age Calculator for the United States in 2018". DQYDJ.com, acesso em 31 mai. 2019. Disponível em: https://dqydj.com/income-percentile-by-age-calculator/

2. "Income Tax Calculator, Texas, USA". Neuvoo. Disponível em: https://neuvoo.com/tax-calculator/?iam=&salary=75000&from=year&region=Texas

3. HURD, Michael. "Wealth Depletion and Life-Cycle Consumption by the Elderly" em *Topics in the Economics of Aging*, org. WISE, David A. (Chicago: University of Chicago Press, 1992), p. 136. Disponível em: https://www.nber.org/chapters/c7101.pdf

4. SHEFRIN, Hersh M. e THALER, Richard H. "The Behavioral Life-Cycle Hypothesis," em *Quasi Rational Economics*, org. THALER, Richard H. (Nova York: Russell Sage Foundation, 1991), p.114.

5. Economistas que estudam a forma com que as pessoas gastam e poupam sabem que pessoas idosas não gastam suas economias com rapidez suficiente, e as razões que apresentam correspondem às duas razões que ouço tantas vezes em minhas conversas: "poupanças preventivas" (para enfrentar o medo de ficar sem dinheiro ou não ter o suficiente para despesas imprevistas) e "herança" (Mas e os meus filhos?).

6. BRICKER, Jesse, et al., "Table 2: Family Median and Mean Net Worth, by Selected Characteristics of Families, 2013 and 2016 Surveys". *Federal Reserve Bulletin* 103 (2017): 13. Disponível em: https://www.federalreserve.gov/publications/files/scf17.pdf

7. BANERJEE, Sudipto. "Asset Decumulation or Asset Preservation? What Guides Retirement Spending?". *Employee Benefit Research Institute* (periódico), vol. 447 (2018). Disponível em https://www.ebri.org/docs/default-source/ebri-issue-brief/ebri_ib_447_assetpreservation-3apr18.pdf?sfvrsn=3d35342f_2

8. STEIN, Michael K., *The Prosperous Retirement* (Boulder: Emstco Press, 1998).

9. HEALING, Dan, "How Much Money Will You Need After You Retire? Likely Less Than You Think, *Financial Post*, 9 ago. 2018. Disponível em: https://business.financialpost.com/personal-finance/retirement/how-much-money-should-you-have-left-when-you-die-likely-less-than-you-think

10. "Table 1300: Age of Reference Person: Annual Expenditure Means, Shares, Standard Errors, and Coefficients of Variation, Consumer Expenditure Survey, 2017", U.S. Bureau of Labor Statistics. Disponível em: https://www.bls.gov/cex/2017/combined/age.pdf

11. FINCH, Peter, "The Myth of Steady Retirement Spending, and Why Reality May Cost Less," *New York Times*, 29 nov. 2018. Disponível em: https://www.nytimes.com/2018/11/29/business/retirement/retirement-spending-calculators.html

12. CHOU, Shin-Yi; HAMMIT, James K e LIU, Jin-Tan. "National Health Insurance and Precautionary Saving: Evidence from Taiwan," *Journal of Public Economics* 87 (2003): pp.1873–94, doi:10.1016/S0047-2727(01)00205-5. (Quando o governo de Taiwan começou a oferecer seguro-saúde, a poupança das pessoas passou a diminuir.)

13. PALUMBO, Michael G., "Uncertain Medical Expenses and Precautionary Saving Near the End of the Life Cycle", *Review of Economic Studies* 66 (1999): pp. 395–421, doi:10.1111/1467-937X.00092. Disponível em: https://academic.oup.com/restud/article-abstract/66/2/395/1563396

14. GORMAN, Anna, "Medical Plans Dangle Gift Cards and Cash to Get Patients to Take Healthy Steps," *Los Angeles Times*, 5 dez. 2017. Disponível em: https://www.latimes.com/business/la-fi-medicaid-financial-incentives-20171205-story.html

15. STARK, Ellen, "5 Things You SHOULD Know About Long-Term Care Insurance", *Boletim AARP*, 1 mar. 2018. Disponível em: https://www.aarp.org/caregiving/financial-legal/info-2018/long-term-care-insurance-fd.html

CAPÍTULO 4
COMO GASTAR SEU DINHEIRO
(SEM CHEGAR DE FATO A ZERO ANTES DE MORRER)

1. "Distribution of Life Insurance Ownership in the United States in 2019". Statista. Disponível em: https://www.statista.com/statistics/455614/life-insurance-ownership-usa/

2. LIEBER, Ron, "The Simplest Annuity Explainer We Could Write". *The New York Times*, 14 dez. 2018. Disponível em: https://www.nytimes.com/2018/12/14/your-money/annuity-explainer.html

3. THALER, Richard H., "The Annuity Puzzle". *The New York Times*, 4 jun. 2011. Disponível em: https://www.nytimes.com/2011/06/05/business/economy/05view.html
Dezenas de artigos acadêmicos foram escritos sobre o tema; se você quiser uma explicação simples sobre o enigma, incluindo algumas respostas possíveis, confira esta coluna "Economic View" de Richard Thaler, que recentemente ganhou o Prêmio Nobel.

4. BECKER, Gary, MURPHY, Kevin e PHILIPSON, Tomas, "The Value of Life Near Its End and Terminal Care" (artigo). National Bureau of Economic Research, Washington, D.C., 2007). Disponível em: http://citeseerx.ist.psu.edu/viewdoc/download?doi=10.1.1.446.7983&rep=rep1&type=pdf

5. "Final Countdown Timer," v. 1.8.2 (ThangBom LLC, 2013) (compatível com iOS 11.0 ou posterior). Disponível em: https://itunes.apple.com/us/app/final-countdown-timer/id916374469?mt=8
O aplicativo não foi projetado especificamente para fazer contagem regressiva até a data prevista da morte — você pode inserir várias datas diferentes (prazos, aniversários, o que quiser) e observar a contagem regressiva do cronômetro para todas elas.

CAPÍTULO 5
E QUANTO AOS FILHOS?

1. FEIVESON, Laura Feiveson e SABELHAUS, John, "How Does Intergenerational Wealth Transmission Affect Wealth Concentration?," FEDS Notes, Board of Governors of the Federal Reserve System (1 jun. 2018), doi:10.17016/2380-7172.2209. Disponível em: https://www.federalreserve.gov/econres/notes/feds-notes/how-does-intergenerational-wealth-transmission-affect-wealth-concentration-20180601.htm

2. KANE, Libby, "Should You Give Your Kids Their Inheritance Before You Die?," *The Week*, (21 ago. 2013). Disponível em: https://theweek.com/articles/460943/should-give-kids-inheritance-before-die

3. Virginia Colin, entrevista por Marina Krakovsky (7 jan. 2019).

4. WOLFF, Edward N. e GITTLEMAN, Maury, "Inheritances and the Distribution of Wealth or Whatever Happened to the Great Inheritance Boom?," *Journal of Economic Inequality*, vol. 12, no. 4 (dez. 2014): pp. 439–68, doi:10.1007/s10888-013-9261-8.

5. KRAKOVSKY, Marina, "The Inheritance Enigma," *Knowable Magazine* (12 fev. 2019). Disponível em: https://www.knowablemagazine.org/article/society/2019/inheritance-enigma

6. CHOPIN, William J. Chopik e EDELSTEIN, Robin S., "Retrospective Memories of Parental Care and Health from Mid- to Late Life", *Health Psychology* 38 (2019): pp. 84–93, doi:10.1037/hea0000694.

7. HEINRICH, Carolyn J., "Parents' Employment and Children's Wellbeing," *Future of Children* 24 (2014): pp. 121–46. Disponível em: https://www.jstor.org/stable/23723386

8. BEHRMAN, Jere R. e STACEY, Nevzer (org.), *The Social Benefits of Education* (Ann Arbor: University of Michigan Press, 1997). Disponível em: https://www.jstor.org/stable/10.3998/mpub.15129

9. PSACHAROPOULOS, George e PATRINOS, Harry Antony, "Returns to Investment in Education: A Decennial Review of the Global Literature" (artigo), World Bank Group Education Global Practice, Washington,

D.C., abr. 2018). Disponível em: http://documents.worldbank.org/curated/en/442521523465644318/pdf/WPS8402.pdf

10. JANSEN, Paul J. e KATZ, David M., "For Nonprofits, Time Is Money," *McKinsey Quarterly* (fev. 2002). Disponível em: https://pacscenter.stanford.edu/wp-content/uploads/2016/03/TimeIsMoney-Jansen_Katz_McKinsey2002.pdf

11. GRANT, Jonathan e BUXTON, Martin J., "Economic Returns to Medical Research Funding", *BMJ Open* 8 (2018), doi:10.1136/bmjopen-2018-022131

CAPÍTULO 6

EQUILIBRE SUA VIDA

1. DUBNER, Stephen J. e LEVITT, Steven D., "How to Think About Money, Choose Your Hometown, and Buy an Electric Toothbrush", (transcrição de podcast), *Freakonomics* (3 out. 2013). Disponível em: http://freakonomics.com/2013/10/03/how-to-think-about-money-choose-your-hometown-and-buy-an-electric-toothbrush-a-new-freakonomics-radio-podcast-full-transcript/

2. WARREN, Elizabeth e TYAGI, Amelia Warren, *All Your Worth: The Ultimate Lifetime Money Plan* (Nova York: Free Press, 2006).

3. NYAUPANE, Gyan, McCABE, James T. e ANDERECK, Andereck, "Seniors' Travel Constraints: Stepwise Logistic Regression Analysis", *Tourism Analysis* 13 (2008): pp. 341–54. Disponível em: https://asu.pure.elsevier.com/en/publications/seniors-travel-constraints-stepwise-logistic-regression-analysis

4. SAPOLSKY, Robert M., "Open Season", *The New Yorker*, 30 mar. 1998. Disponível em: https://www.newyorker.com/magazine/1998/03/30/open-season-2

5. HONEYMAN, Rachel, "Proof That 65 Is Never Too Late to Kickstart Your Fitness Journey", *GMB Fitness*, 20 nov. 2016. Disponível em: https://gmb.io/stephen-v/

6. CROSS, Valerie, "Jaime and Matt Staples Win $150,000 Weight Loss Bet from Bill Perkins", *PokerNews*, 23 mar. 2018. Disponível em: https://www.

pokernews.com/news/2018/03/jaime-staples-set-to-collect-on-150k-weight-loss-prop-bet-30300.htm

7. DUNN, Elizabeth W., BEKKERS, Rene, NORTON, Michael I., SMEETS, Paul E WHILLANS, Ashley V., "Buying Time Promotes Happiness," *Proceedings of the National Academy of Sciences 114*, no. 32, 8 ago. 2017: pp. 8523–27, doi:10.1073/pnas.1706541114.

8. MAVERICK, J. B., "What Is the Average Annual Return for the S&P 500?," *Investopedia*, acesso em 21 mai. 2019. Disponível em: https://www.investopedia.com/ask/answers/042415/what-average-annual-return-sp-500.asp

CAPÍTULO 7

COMECE A ORGANIZAR O TEMPO EM SUA VIDA

1. WARE, Bronnie, *The Top Five Regrets of Dying: A Life Transformed by the Dearly Departing* (Carlsbad: Hay House, 2012).

2. CHANCELLOR, Joseph, KURTZ, Jaime, LAYOUS, Kristin e LYUBOMIRSKY, Sonja, "Reframing the Ordinary: Imagining Time As Scarce Increases Well-Being", *Journal of Positive Psychology 13* (2018): pp. 301–8, doi: 10.1080/17439760.2017.1279210.

CAPÍTULO 8

SAIBA RECONHECER SEU ÁPICE

1. MOORE, Derick, "Homeownership Remains Below 2006 Levels for All Age Groups", United States Census Bureau, 13 ago. 2018. Disponível em: https://www.census.gov/library/stories/2018/08/homeownership-by-age.html

2. "Understanding Present Value Formulas", *PropertyMetrics* (blog), 10 jul. 2018. Disponível em: https://www.propertymetrics.com/blog/2018/07/10/present-value-formulas/

3. O'HARA, Carolyn, "How Much Money Do I Need to Retire?," *AARP the Magazine*. Disponível em: https://www.aarp.org/work/retirement-planning/info-2015/nest-egg-retirement-amount.html

4. SELL, Sarah Skidmore, "'70 Is the New 65': Why More Americans Expect to Retire Later", *Seattle Times*, 8 mai. 2018. Disponível em: https://www.seattletimes.com/nation-world/nation/more-americans-expect-to-work-until-70-not-65-there-are-benefits/

5. "When Do Americans Plan to Retire?," *Pew Charitable Trusts*, 19 nov. 2018. Disponível em: https://www.pewtrusts.org/en/research-and-analysis/issue-briefs/2018/11/when-do-americans-plan-to-retire

6. GOSSELIN, Peter, "If You're Over 50, Chances Are the Decision to Leave a Job Won't Be Yours," *ProPublica*, acesso em 4 jan. 2019. Disponível em: https://www.propublica.org/article/older-workers-united-states-pushed-out-of-work-forced-retirement

7. "Average Retirement Age in the United States", *DQYDJ.com*, acesso em 31 mai. 2019. Disponível em: https://dqydj.com/average-retirement-age-in-the-united-states/

8. "Report on the Economic Well-Being of U.S. Households in 2017", Board of Governors of the Federal Reserve System, acesso em 19 jun. 2018. Disponível em: https://www.federalreserve.gov/publications/2018-economic-well-being-of-us-households-in-2017-retirement.htm

9. SMITH, Anne Kates, "Retirees, Go Ahead and Spend a Little (More)", *Kiplinger's Personal Finance*, 3 out. 2018. Disponível em: https://www.kiplinger.com/article/spending/T031-C023-S002-how-frugal-retirement-savers-can-spend-wisely.html

10. Government Accountability Office, "Older Workers: Phased Retirement Programs, Although Uncommon, Provide Flexibility for Workers and Employers," relatório para o Special Committee on Aging, Senado dos Estados Unidos, jun. 2017. Disponível em: https://www.gao.gov/products/GAO-17-536

11. MILLER, Stephen, "Phased Retirement Gets a Second Look", Society for Human Resource Management, 28 jul. 2017. Disponível em: https://www.shrm.org/resourcesandtools/hr-topics/benefits/pages/phased-retirement-challenges.aspx

CAPÍTULO 9
SEJA OUSADO, MAS NÃO TOLO

1. "The Big Interview: 5 Minutes with... Jeff Cohen", Chambers Associate, n.d. Disponível em: https://www.chambers-associate.com/the-big-interview/jeff-cohen-chunk-from-the-goonies-lawyer

2. AAKER, Jennifer L, CATAPANO, Rhia e VOHS, Kathleen D., "It's Not Going to Be That Fun: Negative Experiences Can Add Meaning to Life", *Current Opinion in Psychology 26* (2019): pp. 11–14, doi:10.1016/j.copsyc.2018.04.014.

Créditos das imagens

Os dados de patrimônio líquido usados nas ilustrações das páginas 54, 113, 153 e 156 são do Federal Reserve dos Estados Unidos, (2016), tabela 2. Dados de BRICKER, Jesse et al., "Changes in U.S. Family Finances from 2013 to 2016: Evidence from the Survey of Consumer Finances", *Federal Reserve Bulletin 103*, (2017): p. 13. Disponível em: https://www.federalreserve.gov/publications/files/scf17.pdf

Os dados utilizados na ilustração da página 80 provêm do Board of Governors of the Federal Reserve System (2018), figura 3. Dados de FEIVESON, Laura e SABELHAUS, John, "How Does Intergenerational Wealth Transmission Affect Wealth Concentration?", *FEDS Notes*. Board of Governors of the Federal Reserve System. (1 jun. 2018), doi:10.17016/2380-7172.2209. Disponível em: https://www.federalreserve.gov/econres/notes/feds-notes/how-does-intergenerational-wealth-transmission-affect-wealth-concentration-accessible-20180601.htm

Os dados usados na ilustração da página 161 são de FOSTER, Ann C., "Consumer Expenditures Vary by Age", *Beyond the Numbers 4*, No. 14 (dez. 2015), Bureau of Labor Statistics. Disponível em: https://www.bls.gov/opub/btn/volume-4/mobile/consumer-expenditures-vary-by-age.htm

Índice remissivo

A
A Formiga e a Cigarra, 9–10, 24, 30–32, 50, 115, 152
acumulação de patrimônio líquido, *156*
amigos e familiares de Bill Perkins, histórias sobre
    Arnold, John, 44–45
    Baird, 87
    Chris (avô de Lara), 109–110
    Erin, 11
    Greg, 108–109
    herdeiro com infância miserável, 88
    interessado em doar para instituições de caridade após o sucesso de um novo negócio, 98
    Paulie, 38
    Richey, Cooper, 72
    Ruffo, Jason, 27
    Schwartz, Andy, 158
    Staples, Jaime e Matt, 121
    Tia (irmã), 164
    Veja também Vovó
amor pelo seu trabalho
    como desculpa para não morrer sem nada, 50–51
    e aposentadoria, 157
Anne e Betty (exemplo de idade biológica), 155–56
anos de aceleração (go-go), anos de desaceleração (slow-go) e anos de restrição (no-go), 57
anos de restrição (no-go), 57, 162
anos dourados, 114–15, 160, 180
anuidades, 68–69, 149, 151
ápice da utilidade do dinheiro, 85
aplicativo (Die With Zero), 22–25, 74, 75, 127
    cálculos com, 176
    curva de realização, 176–77

otimizando a realização, 127
Veja também DieWithZeroBook.com
aplicativo (Final Countdown), 74
aposentadoria
    anos de aceleração (go-go), anos de desaceleração (slow-go) e anos de restrição (no-go), 57–59
    "aposentadoria em fases", 160
    economizando para, 30–31, 151–52
    gastando na, 55–57
    involuntária, 154–55
    memórias na, 30, 39
    Veja também anuidades; níveis de poupança
apostas, 121
argumento do subproduto, 51
Arnold, John, 44–46
arrependimentos, 71, 132–34

B

Beiers, Katherine, 137
Betty, veja Anne e Betty
bilionário honorário, 15
    bilionários, 16
    momento para caridade, 98
    trabalho e, 89
    Veja também Arnold, John; Buffett, Warren; Cuban, Mark; Feeney, Chuck; Gates, Bill
biscoitos, como exemplo de escolhas deliberadas, 20

Bloom, Sylvia, 93–96, 98
Bloomberg, Michael, 16
Buffett, Warren, 16, 40, 98

C

cálculo da expectativa de vida, 63–65, 86, 148–149
    Actuaries Longevity Illustrator (calculadora atuarial), 65
    Living to 100 (calculadora), 65
    tolerância ao risco, 68–70
caridade
    causas educacionais, 96–97
    Compassion International (organização de caridade), 98
    financiamentos estudantis do Morehouse College, 96
    fundações de caridade, 44
    idade e momento para, 53, 95–97
    momento para caridade, 93–99, 179–180
carreira
    amo meu trabalho, 50–52, 62
    começando, 16–17
    escolhas e momentos, 171, 182–83, 178
    escravos de nossos empregos, 21–22
    infelicidade na, 172–73
    mudança em busca de oportunidades, 174–76
"Cat's in the Cradle", (música) 89
Centaurus (fundo de hedge), 44

Chuva de milhões (filme), 45
cinzas (subproduto), 51
Cohen, Jeff, 171
Comer para viver (livro de Fuhrman), 127
compensação entre trabalho e lazer, 32
composição (juros)
    como razão para dar dinheiro aos filhos mais cedo, 88
    de problemas de saúde, 119–21
    dos dividendos de memória, 36–38
Conselho do Federal Reserve, 79
consultores financeiros, 59, 70, 71, 101, 152
crianças
    tempo com, 91–93, 116
    Veja também herança, filhos; crianças
Cuban, Mark, 167–68, 170
curva de capacidade de aproveitar experiências, 113, 113–14
curva de realização, 33, 37, 115, 118, 176–77
custos
    de adquirir mais dinheiro, 152–53
    de sobrevivência, 147

D

dançarina, como exemplo de amor pelo seu trabalho, 51
data da morte e efeito no comportamento, 73, 107–08
Departamento de Estatísticas do Trabalho, 58
Depressão (período) e medo da pobreza, 84
desacumulação, 55, 71, 160–63
despesas médicas, *Veja* saúde e cuidados de saúde
"despoupança", 50. *Veja também* desacumulação.
deterioração da saúde, 120–24
dicas de economia
    escolhas pessoais, 159
    gastos com educação, 34, 97
    gastos com saúde, 72–73
    Hipótese do Ciclo de Vida (LCH, Life-Cycle Hypothesis), 49
    momento para gastar, 14, 50, 101–2
    poupança preventiva, 61
    sobre anuidades, 68
    tempo para a família, 92
    transferências de patrimônio, 82–83
discriminação por idade, 155
dissecando sapos e subutilização da liberdade dos adultos, 41
dívidas, para viver experiências únicas, 103
dividendo de memória, 21, 33–39, 42, 88, 90, 103, 169, 175
doença de Alzheimer e cuidados médicos dispendiosos, 84
Dominguez, Joe, 19
Downton Abbey, 30

Duty Free Shoppers Group (lojas isentas de impostos), 98

E

Elizabeth (exemplo de trabalhar de graça), 46-48
Employee Benefit Research Institute (instituto de pesquisa), 55-56
empresas de tecnologia, monetizando os dividendos de memória, 36-37
energia vital, 146
    compreensão financeira, 46-49
    desperdiçando, 46-50
    gastar de menos e, 71
    processamento, 24-25
    proporção entre gastos e poupança, 104-5
enquete do Twitter, 86
equilíbrio: entre gastar e poupar, 101-28
equilíbrio: risco, recompensa, 170
equilíbrio: saúde, dinheiro, tempo, 115-170
equilíbrio entre vida pessoal e profissional, 18, 21, 30, 50-52, 92
    mudança do equilíbrio, 116
    mudando, 145
    pobreza e, 24
    tempo, adiando experiências, 74, 129-32
    tempo, valor do, 112, 114, 121-23, 127, 141

Veja também aplicativo; saúde e cuidados de saúde
escolhas de vida, 29
esquiar, 92, 108
estilo de vida e gastos, 159
estudos (pesquisas)
    da idade planejada de aposentadoria dos americanos, 154
    de aposentadoria voluntária e involuntária, 154-55
    de gastos por idade, 58
    de patrimônio na aposentadoria, 55
    de pensar que seu tempo é limitado, 133-34
    de restrições de viagem, 107-8
    do declínio da saúde com a idade, 110-11
    do gasto de dinheiro em experiências, 22
    do gasto de dinheiro para economizar tempo, 122-23
    dos efeitos de pais amorosos, 90
    dos programas dos empregadores para aposentadoria em fases, 160
Europa, 27-29, *33*, 35, 39, 103, *137*
experiências únicas na vida, 29, 103, 158
experiências
começar cedo, 40-41, 42
escolhas, 41-43
experiências de vida, 31, 32-33
    felicidade e, 21-22, 179-80
    idade e momento para, 14-16,

28, 107–12, 168–69,
170–71
impacto do fracasso, 169–71
propriedade de férias na América
  Central, 38
retorno, 39–40
valor numérico, 31–32
viagem de mochilão, 27–29
Veja também curva de realização

F
Facebook (FB), 36
Farrell, Joe, 18, 101–5
fases da vida, 129–30
  janelas de oportunidade, 131–33
  minimortes, 131, 134
fator café, 41–42
Feeney, Chuck, 98
felicidade
  agir para, 14–15
  experiências, 21–22
  viajar, 107
  Veja também realização
férias
  e dividendos de memória, 38
  e planejamento deliberado, 134
  na França e na Alemanha, 21
festa de aniversário (45 anos do autor),
  142–46
filantropia, *veja também* caridade
filhos(as)
  herança e legado, 77–99
  Veja também crianças
Final Countdown (aplicativo),
  74–75

Flórida, 150
Freakonomics (Levitt), 102
Friedman, Milton, 102
Fuhrman, Joel, 127
fumar, 46, 64, 111

G
gastar dinheiro em experiências versus
  gastar em coisas, 22
gastos ao longo da vida, 161
gastos de pensionistas, 57
Gates, Bill, 16, 98
Goonies, Os (filme), 171–72
gratificação adiada
  A Formiga e a Cigarra, 24, 30
  anos dourados e, 114
  equilíbrio da, 30
  insensatez de exagerar, 54–55,
    125–27, 132, 145
  lógica, 13
teste do marshmallow, 125

H
Heinrich, Carolyn, 92
herança, filhos
  aleatoriedade, 80–81, 83–84
  dê enquanto você estiver vivo,
    78–79, 157
  idade e momento, 52–53, 79–82,
    85–88, 97–99
  plano de poupança educacional
    (plano 529), 88
  probabilidade de recebimento de
    herança, 79

reflexão tardia ou cuidado, 77–78, 82–83
transferências "in vivo", 82
Hipótese do Ciclo de Vida (LCH, Life-Cycle Hypothesis), 49
história do quiroprata, 118

I

idade biológica, 155
inércia, veja piloto automático
instinto de sobrevivência, 72–73
intervalos de tempo, 130
    comparação com a lista de desejos, 138–39
    curvas de saúde e riqueza, 161–63
    experiências e momentos, 143–44
    experiências nos vinte anos e na meia-idade, 136
    finanças e, 139–40
    intervalos de tempo, 135
    preenchendo seus intervalos de tempo, 137
    revisões, 165–66
intervalos, veja intervalos de tempo.
investimentos imobiliários, 38
investindo
    em capital humano, 34
    em experiências, 27–35
    retorno sobre experiências versus retorno sobre o patrimônio líquido, 39
iPad cheio de lembranças (presente), 30

J

J.P. Morgan Asset Management (consultoria), 58
joelhos e peso, 20, 108, 117, 118, 119, 120, 169

K

Krakovsky, Marina, 81

L

Las Vegas (experiência em diferentes idades), 126
lavanderia, como exemplo de troca de dinheiro por tempo, 122
legado, como memórias sobre você, 79, 88
Levitt, Steven, 102, 105
Lieber, Ron, 67
LifeSpan (clínica), 22
lista de desejos, 57, 137, 138

M

Mario (e vidas extras), 52
Maroon 5 (banda), 45
Matrix (filme), 20
maximizando a realização na vida
    como problema de otimização complexo, 25
    como objetivo de vida, 17–26
    em contraste com maximizar sua riqueza, 71
Medicare e previdência social, 154

medo
    como inimigo do pensamento racional, 83
    ficar sem dinheiro, 22–24, 53, 84
    inação e, 177
    mudança e viagens, 173–76
    ousadia sendo uma pessoa mais velha, 176–77
    versus baixa tolerância ao risco, 69–70, 176–77
membros patronos do TED, 159
memórias
    álbuns de fotografia, 36
    aquisição de, 29–30
    crianças e pais, 88–93
    melhores férias, 32
Merchant, Natalie, 143
MicroSolutions, 168
minimortes, 131–33
miopia, veja recompensas de curto prazo
Mischel, Walter, 125
Modigliani, Franco, 49
momentos
    para experiências, 15, 162–63
    para presentear herdeiros, 85–88
"morrer rico", como antítese do objetivo de vida de Bill Perkins, 41–2
morte e deterioração
    dinheiro no final da vida, 106–07
    experiências anteriores, 40
    gastos durante a aposentadoria, 54–55
    instinto de sobrevivência, 72–74
    perspectiva de, 12–13
    Veja também Hipótese do Ciclo de Vida (LCH, Life-Cycle Hypothesis); risco de mortalidade
movimento é vida, 25, 120
Movimento FIRE (sigla do inglês para "independência financeira, aposente-se cedo"), 19, 102
mudança pelo trabalho, 173–76

N
New York Times, 67, 93
níveis de poupança, 147–48

O
"O que eu prefiro?" (calculando experiências), 125–127
os três As, 80
otimização, veja maximizando a realização na vida
ousadia, 167–180
    e risco/recompensa, 103, 167
    em pessoas mais velhas, 176–77
    versus tolice, 169

P
patrimônio líquido
    definição, 145
    mediana, 54–55
pé-de-meia, momento ideal para abrir, 149–51
peso e saúde, 20, 64, 117, 120–22

Pesquisa de Despesas do Consumidor, 58
Pesquisa de Finanças do Consumidor, 54
Pew Charitable Trusts (pesquisa), 154
pico (patrimônio líquido), 141–65
    acumulação de patrimônio líquido, 155
    "aposentadoria em fases", 160
    declínio da utilidade do dinheiro conforme a idade, 144
    idade do, 157
    patrimônio líquido da vida, 145–47, 155–56
piloto automático
    como inimigo do pensamento racional, 83
    e subutilização de nossa liberdade, 41
    energia vital desperdiçada, 43
    escolhas deliberadas ou, 14, 30, 41, 179
    gastos imprudentes, 103
    hábito de trabalhar, 46, 114
    sobrecarregado com dados, 22
plano de aposentadoria, 40, 47
plano de poupança educacional (529 plan), 87
plástico nos móveis, 58
pontos de experiência, 32, *33*, 36, *37*, 40, 90, 120, 126, 147, 152, 153, 177
pontos de realização, 111, 180
porta, como exemplo do valor da memória, 34
poupança preventiva, 61

poupar ou gastar
    conselhos sobre finanças pessoais, 104–5
    estágios da vida e, 105–7, 112–14, 115, 179
    Fórmula do Dinheiro Equilibrado, 104–8
    gastos imprudentes, 102–3
    idade e momento para, 101–2
    mediana do patrimônio líquido por idade, 54
    patrimônio líquido, 54–55
    prazer na vida, 71, 87
    Veja também equilíbrio: saúde, dinheiro, tempo
prazer no trabalho, 20, 50–52, 62
    momento de pico e, 157–59
presentes
    caridade, 94–99
    para o Morehouse College, 96
    para os filhos, 88–93
    presente em dinheiro para a vovó, 58

Q

quantificando o medo, 173

R

realização, 15, 25–33, 88, 104
recompensas de curto prazo, 50
recursos, troca do abundante pelo escasso, 116
regra 50-30-20, 104
regras de equilíbrio, problemas com, 104

regras
    número 1 (maximizar), 11
    número 2 (investir em experiências), 27
    número 3 (morrer sem nada), 43
    número 4 (ferramentas disponíveis), 63
    número 5 (crianças e caridade), 77
    número 6 (piloto automático), 101
    número 7 (períodos diferentes da vida), 129
    número 8 (parar de aumentar a riqueza), 141
    número 9 (maiores riscos), 167
    regras de equilíbrio, limitação das 104-5
    Veja também a regra 50-30-20
rei do gás natural, veja Arnold, John
relacionamentos
    manter após mudanças, 173-74
    pagar para amigos compartilharem experiências, 141
Renna, Chris, 22-23
Richey, Cooper, 72
risco assimétrico, 168, 170
risco de longevidade, 66-68, 69
risco de mortalidade, 66-68
Robins, Vicki, 19
Ruffo, Jason, 27

S

saúde e cuidados de saúde
    apostas em metas de saúde, 120-21
    câncer, 11-13
    capacidade de desfrutar de experiências com base na saúde, 111, 113, 115, 153, 162
    cuidados preventivos, 61, 121, 127, 163-64
    curvas de saúde, 110-11
    despesas desconhecidas, 58-61
    idade e diminuição do proveito, 107-24, 127
    peso, impacto da, 118-22
    seguro, 58, 60
    valor da, 117-19
Scheinkman, José, 102
Schwartz, Andy, 158
Seguridade Social, 47, 49, 154-55
seguro contra invasão de robôs alienígenas, 60
seguro
    anuidades, 66-69
    seguro contra invasão de robôs alienígenas, 58
    seguro de cuidados de longo prazo, 61, 83
    seguro de vida, 66
    seguro-saúde, 58, 60-61
    você não é um bom corretor de seguros, 66-70
Seu dinheiro ou sua vida (livro de Robins e Dominguez), 19-20, 21-22
Shefrin, Hersh, 50

simulações de cenários de ganhos e gastos, 155–56
Smith, Robert F., 96
sobrevivência
    custo limite, 148–52, 165
    planejando, 114
Sociedade dos Atuários, 65
Soggy Dollar (bar), 109
Space Invaders (jogo de videogame), 16
St. Barths, 21, 141–42
Staples, Jaime e Matt, 121
Starbucks, 42
Statman, Meir, 159
Stern, Stephen, 118–19
suavização de consumo, 18–19
Super Mario (jogo de videogame), 52

T
taxa de juros pessoal, 123–25
tempo
    com as crianças, 91–93, 116, 139
    recurso consciente, 134–35
tênis de mesa, 120
teste do marshmallow, 125
Thaler, Richard, 50
tolerância ao risco, 69–70, 177–78
trabalhando de graça, 46–49
tratamentos de câncer, custos de 59
triângulos, representando mudanças no equilíbrio entre saúde, dinheiro e tempo livre, 116

U
unidades de processamento de energia (humanos como), 24
Ursinho Pooh e o Efalante (filme), 130
utilidade do dinheiro, 85, 112–14, 153

V
Veja também filhos(as)
viagem. *Veja* felicidade
vivendo como se hoje fosse seu último dia, 74
Vovó
    e evitar riscos, 177
    história do suéter, 57–58, 111–112
    plástico nos móveis, 58

W
wakeboard, 111
Wall Street: poder e cobiça (filme), 17
Ware, Bronnie, 133
Warren, Elizabeth, 104

Y
"Your Money" (coluna no *New York Times*), 67

intrinseca.com.br

@intrinseca

editoraintrinseca

@intrinseca

@editoraintrinseca

editoraintrinseca

1ª edição	ABRIL DE 2024
reimpressão	FEVEREIRO DE 2025
impressão	IMPRENSA DA FÉ
papel de miolo	LUX CREAM 60 G/M²
papel de capa	CARTÃO SUPREMO ALTA ALVURA 250 G/M²
tipografia	ADOBE GARAMOND PRO